Theaterkids 2

Fünf Weihnachtsstücke für das Kinder- und Jugendtheater

Sina Pillasch

Bibliografische Information der Deutschen Nationalbibliothek:
Die Deutsche Nationalbibliothek verzeichnet diese Publikation in der Deutschen Nationalbibliografie; detaillierte bibliografische Daten sind im Internet über www.dnb.de abrufbar.

http://www.sina-pillasch.de

Herstellung und Verlag:
BoD – Books on Demand, Norderstedt

ISBN 978-3-7347-4765-6

Inhalt

Theaterkids 2 - Fünf Weihnachtsstücke für das Kinder- und Jugendtheater
ISBN 978-3-7347-4765-6

Vorwort

Die Weihnachtszeit ist jedes Jahr die Herrlichste. Denn neben großem Alltagsstress und gehetzten Einkäufen passieren hier und da kleine und große Wunder. Es ist die Zeit im Jahr, bei der Worte tief in die Geister der Menschen dringen können und wo sie im Guten wirken.

Zum Theaterspielen ist diese Zeit mir die Liebste, denn die Menschen sind bereit sich verzaubern zu lassen. Es gehört zu Weihnachten einfach dazu.

Hier erhalten Sie fünf Stücke für das vorweihnachtliche Theaterspiel. Ich habe es in meiner Theatergruppe immer so gehalten, dass Kinder zwischen den einzelnen Szenen oft noch selbst musizieren konnten, oder eine andere Gruppe uns musikalisch begleitete. Auf diese Weise bekamen die Stücke zusätzlich noch einen ganz eigenen weihnachtlichen Charakter.

Ich freue mich sehr darüber, dass auch Sie den Weihnachtszauber mit einem Theaterstück ins Leben der Menschen schenken möchten und wünsche Ihnen viel Spaß mit den Vorbereitungen und später, wenn der Vorhang fällt, Ihnen und Ihren Theaterkindern einen tosenden Applaus.

Sie können mir auch gerne von Ihren Erfahrungen mit diesen Stücken berichten. Darüber würde ich mich riesig freuen.

http://www.sina-pillasch.de

Möge das Schauspiel beginnen!

Ihre Sina Pillasch.

Theaterkids 2 - Fünf Weihnachtsstücke für das Kinder- und Jugendtheater
ISBN 978-3-7347-4765-6

Exposé zu allen Stücken

Das bunte Schwarz - Exposé

Früher, wie heute, verliert sich oft das Weihnachtsfest im wilden Kaufgetümmel. Es muss stets das Teuerste, Wertvollste, Größte oder Coolste sein. Etwas basteln oder zeichnen? Das können sich nur noch die Wenigsten vorstellen. Und heute ist es manchmal noch viel schlimmer! Gemeinsame Stunden mit der Familie haben keinen Wert mehr. Das Geld wird allzu oft für sich selbst ausgegeben oder in sinnlose Geschenke investiert. Die Einfallslosigkeit kennt da keine Grenzen. Doch inmitten eines Schneesturms erfahren vier Kinder, das Weihnachten mehr ist, als all die Sachen aus dem Kaufhaus.
Eine witzige Geschichte, die sich mutig gegen den Konsumwahn stellt und den Geist herausfordert.

Das Wüstengeschenk - Exposé

Irgendwo in einer fernen Steppe stürzt eine kleine Weihnachtselfe ab. Sie hat sich den Flügel gebrochen und kann ihren Auftrag nun nicht mehr ausführen. Ihr war ein Fehler unterlaufen, denn sie nahm ein falsches Geschenk für einen kleinen Menschenjungen mit, was sie nun noch schnell beheben wollte, bevor sie das Unglück ereilte. Zum Glück haben aufmerksame Tierkinder das sonderbare Geschehen beobachtet und sich sogleich auf dem Weg gemacht, die Absturzstelle zu finden. Mit deren Hilfe dürfte Weihnachten doch zu retten sein, oder?
Eine herrliche kleine Weihnachtsgeschichte, welche mehr ist, als ein Geschenk.

Theaterkids 2 - Fünf Weihnachtsstücke für das Kinder- und Jugendtheater
ISBN 978-3-7347-4765-6

Geheimagent Nordlicht und der Weihnachtsdieb - Exposé

Irgendjemand scheint immer wieder die Weihnachtslisten des Weihnachtsmannes zu stehlen. Und weil die Engel und Wichtel durcheinander kommen, muss die Liste jeden Tag neu aufgesetzt werden. Dies vergeudet so viel Zeit, das Weihnachten kaum noch zu retten ist. So rufen die Wichtel den Geheimagent Nordlicht zu Hilfe, der sich sogleich mit seiner tollen Kamera an die Spuren des Diebes heftet. Doch was er entdeckt, verblüfft nicht nur die Wichtel und Engel.
Eine fröhliche Weihnachtsgeschichte für alle Weihnachtsagenten unter uns!

Eine Reise um den Weihnachtsbaum - Exposé

Topfblumen haben in der Weihnachtszeit immer eine leicht schwierige Phase. Da steht in der Mitte ein großer Weihnachtsbaum, um den sich alles dreht und am Vorabend geschehen dort sonderbare Dinge. So erweckt das Spielzeug zum Leben und zeigt sich auch schon von der schönsten Seite. Die Topfblume findet das gar nicht witzig und grummelt vor sich hin. Indessen taucht ein geheimnisvoller Schatten auf, der dem Spielzeug ein Rätsel aufgibt. Also begeben sich die Spielzeuge auf eine Reise um den Weihnachtsbaum, um dies zu lösen. Doch das ist gar nicht so leicht.
Eine lustige Geschichte zur Weihnachtszeit, wo auch das Spielzeug erfahren muss, dass es noch etwas viel Schöneres als es selbst unter dem Weihnachtsbaum gibt.

Theaterkids 2 - Fünf mitreisende Weihnachtsstücke für das Kinder- und Jugendtheater
ISBN 978-3-7347-4765-6

Der kleine Stern - Exposé

Irgendwo an unserem Nachthimmel ist ein kleiner Stern sehr traurig. Sein Licht ist schwach und er leuchtet nicht so schön, wie die anderen Sterne. Dazu kommt noch, dass ihn die anderen Sterne dafür auslachen und ausschließen. Niedergeschlagen sinkt der kleine Stern auf eine Wolke, die sofort daran denkt dem kleinen Stern zu helfen, sein strahlendes Licht zu finden.
Eine süße kleine Weihnachtsgeschichte, mit erleuchtetem Ausgang.

Theaterkids 2 - Fünf Weihnachtsstücke für das Kinder- und Jugendtheater
ISBN 978-3-7347-4765-6

Das bunte Schwarz

Eine Geschichte gegen den Konsumwahn

Ab 5 Darsteller

(Kinder, welche den Ungläubigen, den Uhrmacher, den Erzähler 1 und 2 spielen, könnten auch die Kinder Kim, Tom, Violetta und Paula spielen. Diese Kinder kommen aus der heutigen Zeit und sind demzufolge auch so gekleidet.)

Personen:

- Uhrmacher
- Ungläubiger (reicher Adliger)
- Erzähler 1
- Erzähler 2
- Violetta
- Paula (hochnäsig und zickig)
- Tom
- Kim
- Eine junge Magd (schüchtern und sehr höflich)

Wichtige Gegenstände:

- Viele Uhren in verschiedenen Formen und Farben
- Ein kleines Päckchen mit einem selbst gebastelten Herzen darin.
- Kaufhausschild
- Die Magd trägt einen Schal, der nicht besonders hübsch aussieht.

Theaterkids 2 - Fünf Weihnachtsstücke für das Kinder- und Jugendtheater
ISBN 978-3-7347-4765-6

Bühneneinrichtung:

Die Handlung findet in der ersten Szene und in der dritten Szene vor einem Uhrmacherladen statt, welcher am Fuße eines Berges liegt (Schauspiel in der Vergangenheit).

Die Szene 2 findet inmitten eines Schneesturmes statt. (Schauspiel in der heutigen Zeit) Der Schneesturm könnte mit einer Seifenblasenmaschine oder Tüchern simuliert werden.

Wichtig ist, das Szene 1 und 3 in der Vergangenheit spielen und Szene 2 in der Gegenwart. Demgemäß sollte die Kostümwahl und das Bühnenbild passend ausgesucht werden.

Theaterkids 2 - Fünf mitreisende Weihnachtsstücke für das Kinder- und Jugendtheater
ISBN 978-3-7347-4765-6

Das bunte Schwarz

Szene 1: Vor dem Uhrenladen

Uhrmacher ruft und geht dabei eine Weile vor dem Publikum auf und ab.

Ein Ungläubiger kommt dazu und betrachtet die Uhren.

Uhrmacher: Schöne Uhren. Bezahlbare Uhren. Kauft meine Uhren! Sie sind die Anerkanntesten auf dem Markt! Uhren! Wunderschöne Uhren. Kauft meine Uhren. Seht wie sie funkeln. Seht, sie sind im ganzen Lande gelobt. Uhren! Kauft meine Uhren!

Der Ungläubige geht zum Uhrmacher.

Ungläubiger: Wo haben sie ihre teuren Modelle?

Uhrmacher: Oh, hier drüben der Herr. Hier habe ich meine kostbarsten Werke!

Uhrmacher holt seine besten Stücke und präsentiert sie dem Ungläubigen. Dieser schaut sie sich eine kleine Weile an. Dann hat er eine wunderschöne Uhr gefunden.

Theaterkids 2 - Fünf Weihnachtsstücke für das Kinder- und Jugendtheater
ISBN 978-3-7347-4765-6

Ungläubiger: Diese hübsches Ding soll es werden, Herr. Das wird das Beste für meine Geliebte auf Erden.

Uhrmacher: Gewiss, das ist das Kostbarste in meinem Laden. Da kann ihnen kein holdes Weib wiederstehen.

Ungläubiger: Packen sie es ein. Ich nehme es gleich mit. Was Besseres wird sie nicht begehren.

Der Uhrmacher packt die Uhr ein.

Währenddessen kommen zwei Erzähler auf die Bühne. Erzähler 1 geht zum Ungläubigen und spricht. Dabei spricht er so, als würde er dem Ungläubigen etwas Wundervolles zeigen wollen.

Erzähler 1: Wenn der Stern der Heiligen leuchtet.
Erweckt an fernen Orten ein Gebet.
Das Menschen mehr erkennen mögen,
was sich im Dunkeln alles regt.

Erzähler 2 tritt von der anderen Seite an den Ungläubigen heran und spricht.

Erzähler 2: Psst...

Erzähler 2 zeigt über das Publikum hinweg.

Erzähler 2: ...schaut die Nacht bricht heran.

Theaterkids 2 - Fünf mitreisende Weihnachtsstücke für das Kinder- und Jugendtheater
ISBN 978-3-7347-4765-6

Erzähler 2 zeigt auf dem Boden vor dem Ungläubigen, der ganz angewidert und überrascht von der Ansprache ist.

Erzähler 2: Oh, seht... das Licht das euch zu Füßen liegt. Könnt ihr es sehen?

Ungläubiger: Was sprichst du da mein Freund. Es leuchtet nicht ein Glanz.

Ungläubiger stampft demonstrativ auf den Boden vor sich.

Ungläubiger: Karger dunkler Steinboden und kein sonderbarer Schein. Das einzig was ich sehe, ist der Stern dort drüben. Hell und sonderbar.

Erzähler 1 kniet sich vor den Ungläubigen hin und lauscht auf dem Boden. Nach einer Weile richtet er sich wieder auf und spricht.

Erzähler 1: Also ich kann es hören. Leise und weise. Spitz die Ohren, hör gut zu...

Ungläubiger: Nun schau sich das einer an. Ein Lump der mit seinem Schatten spricht. Bleib mir nur weg damit.

Der Ungläubige lacht und witzelt mit dem Uhrmacher. Dieser schmunzelt ebenfalls und gibt dem Ungläubigen die Uhr. Der Ungläubige nimmt sie entgegen.

Theaterkids 2 - Fünf Weihnachtsstücke für das Kinder- und Jugendtheater
ISBN 978-3-7347-4765-6

Erzähler 2: Halt! Halt junger Mann. Wir spinnen nicht. Komm, wir wollen es dir zeigen.

Erzähler 2 zeigt auf eine Magd, die durch das Publikum langsam auf die Bühne zuläuft.

Erzähler 2: Das Erwachen beginnt mit dieser hübschen jungen Magd, wie sie zu Fuß den Berg der Thüringer besteigt. Weit fort von ihrem zu Hause und noch kein Ende in Sicht. In ihren Armen ein kleines Päckchen.
Schwer die Füße, die Hände kalt, doch ihre Reise führte sie weiter fort aus dem Winterwald.

Ungläubiger: Fort? Ach so ein Quatsch! Gibt es hier nur einen Pfad, der sie durch den Wald führt. Das Ende oben auf dem Berg. Wenn es also ein Ziel vermag, wird sie diesen Ort erreichen. Das mein Freund weiß doch jeder noch so kleine Lausebub.

Erzähler 1 lächelt.

Erzähler 1: Weise mein Herr. Ein Ziel wird es sein, doch liegt dieser nicht im Winterwald. Seht euch vor, denn sie ist schon nah.

Die junge Magd erreicht die Bühne und spricht die Herren an.

Magd: Meine Herren. Ist der Weg noch lang?

Theaterkids 2 - Fünf mitreisende Weihnachtsstücke für das Kinder- und Jugendtheater
ISBN 978-3-7347-4765-6

Erzähler 2 läuft um die Magd herum und begutachtet sie. Dann lächelt er und spricht.

Erzähler 2: Was für ein junges Ding hier droben. Ist für dich gleich vorn, das Ende aufgehoben.

Erzähler 2 zeigt hinter die Bühne.

Die Magd macht einen Knicks.

Magd: Danke die Herren.

Die Magd geht von der Bühne.

Erzähler 1: Nun schauet zu. Alles was sie finden wird, ist der Fund eines anderen. Alles was sie begehren wird, wird ein wiederentdecktes Gut.

Der Schneesturm beginnt.

Ungläubiger: Was reden sie denn da? Das ist doch nur ein Schneesturm? Meine Herren, das ist keine Zauberei.

Erzähler 2 lacht.

Theaterkids 2 - Fünf Weihnachtsstücke für das Kinder- und Jugendtheater
ISBN 978-3-7347-4765-6

Erzähler 2: Ein schönes Wort, das sie am Ende selber wählen werden, sie werden sehen.

Alle gehen von der Bühne.

Theaterkids 2 - Fünf mitreisende Weihnachtsstücke für das Kinder- und Jugendtheater
ISBN 978-3-7347-4765-6

Szene 2: Irgendwo im Schneesturm

Violetta, Paula, Kim und Tom tauchen im Schneesturm auf.

Violetta zieht sich die Jacke fest zu.

Violetta: Oh ist das kalt hier draußen.

Paula: Ich glaube wir haben uns verlaufen. Das Kaufhaus muss da vorne sein.

Tom: So ein Schneesturm habe ich noch nie erlebt. Hey, ich sehe was.

Tom zeigt dabei auf Kim.

Kim: Hey, das bin ich.

Violetta und Paula kichern.

Tom: Das ist nicht komisch. Los beeilen wir uns.

Die vier Kinder rennen los. Violetta stürzt dabei direkt in die junge Magd hinein.

Violetta: Aua! Kannst du nicht aufpassen?

Magd: Oh verzeihen sie mein Missgeschick.

Theaterkids 2 - Fünf Weihnachtsstücke für das Kinder- und Jugendtheater
ISBN 978-3-7347-4765-6

Kinder betrachten die junge Magd von allen Seiten.

Paula: Missgeschick? Das ist ja ein eigenartiges Wort, das höchstens meine Deutschlehrerin benutzen würde.

Violetta: Was sind das für schmutzige Kleider, die du da an hast? Sieht aus wie aus einem Theater. Probst du für das Krippenspiel?

Magd: Krippenspiel? Ich verstehe nicht recht.

Tom: Oh kommt schon. Wenn wir noch länger trödeln, erreichen wir das Kaufhaus gar nicht mehr.

Kinder laufen wieder los.

Die Magd folgt ihnen in einem kleinen Abstand.

Paula: Okay, kommt schon. Ich muss das Teil noch unbedingt haben. Ihr wisst ja, wenn die zu machen, kann ich mir das neue Kleid abschminken und ich muss mit dem ollen Fetzen von letztem Jahr Weihnachten feiern. Das wäre eine Katastrophe.

Violetta: Neues Kleid? Dein Schrank platzt aus allen Nähten. Schau dir mein Handy an, es ist total veraltet. S3 war gestern, heute geht nichts mehr ohne ein S4.

Kim schaut nach hinten und sieht die Magd ihnen folgen.

Theaterkids 2 - Fünf mitreisende Weihnachtsstücke für das Kinder- und Jugendtheater
ISBN 978-3-7347-4765-6

Kim: Wartet mal. Dieses Mädchen da folgt uns.

Alle bleiben stehen.

Tom geht streng auf sie zu.

Tom: Was ist, willst du Stress oder was?

Magd: Stress? Ich verstehe nicht recht?

Kim: Wieso folgst du uns?

Magd: Oh. Es schneit so sehr und Großvater sagt immer, wenn es dunkel um einen herum ist, dann folge man den Lichtern, die sich einem zeigen. Ich hoffte die Damen und der Herr finden den richtigen Weg?

Violetta: Kommt drauf an wohin du möchtest?

Magd: Mein Großvater ist krank und er ersuchet nach mir, damit ich ihm dieses Päckchen hier bringe. Ich muss nur schnell genug laufen.

Paula: Laufen? Heute läuft doch keiner mehr.

Tom: Wieso? Wir laufen doch!

Paula: Ja, aber wir gehen Shoppen, das ist etwas anderes. Für sowas, wie Großeltern und Krank sein, gibt es einen Bus oder das Elterntaxi. Ihr wisst schon. Laufen tzz.

Magd: Was ist ein Bus?

Theaterkids 2 - Fünf Weihnachtsstücke für das Kinder- und Jugendtheater
ISBN 978-3-7347-4765-6

Violetta: Wiederhole das bitte!

Die Magd macht einen Knicks.

Magd: Jawohl. Ein Bus, die Dame. Was für ein sonderbares Wort? Bus?

Kim lacht helle laut.

Kim: Du nennst sie Dame. Das klingt als wäre sie 100 Jahre alt.

Violetta stupst Kim in die Seiten.

Violetta: Selber alt. Zum Glück haben die im Kaufhaus diese neue Creme fürs Gesicht. 100% weniger Falten verstehst du? Kam in der Sonntagswerbung.

Kimm lacht noch immer.

Kim: Ja, ja... ich verstehe.

Tom: Du bist nicht von hier was?

Magd: Mein Dorf liegt unterhalb des Berges, der Herr.

Theaterkids 2 - Fünf mitreisende Weihnachtsstücke für das Kinder- und Jugendtheater
ISBN 978-3-7347-4765-6

Kim pustet vor Lachen und hält sich den Bauch.

Kim: Der Herr? Nun mach mal halb lang. Das ist nur mein Bruder Tom und höchstens ein Zwerg.

Tom: Haha Kim, sehr witzig.

Paula: Ist doch egal wo sie nun her kommt. Wenn wir sie weiter löchern, kommen wir nie beim Kaufhaus an. Soll sie doch einfach mitkommen. Hey, da fällt mir ein - In der Werbung kam, dass es die Pantoletten im Sonderangebot gibt.

Kim und Violetta kreischen vor Freude und klatschen in die Hände.

Paula: Neue Ohrringe will ich mir auch kaufen. Was wünscht ihr euch eigentlich zu Weihnachten?

Violetta: Für meinen Wunschzettel habe ich dieses Jahr zwei Seiten gebraucht. Meine Eltern haben sich zwar nicht sonderlich gefreut.

Violetta verstellt ihre Stimme zu einer tiefen männlichen Stimme.

Violetta: Weihnachten ist doch kein Bestellkatalog.

Theaterkids 2 - Fünf Weihnachtsstücke für das Kinder- und Jugendtheater
ISBN 978-3-7347-4765-6

Violetta spricht mit normaler Stimme weiter.

Violetta: ...hat mein Vater gesagt. Haha. Aber sie erfüllen mir eh jeden Wunsch.

Kim: Mir nicht unbedingt. Letztes Jahr habe ich mir einen neuen Laptop gewünscht. Doch den haben sie wohl vergessen. Also habe ich ihn dieses Jahr wieder auf meinen Wunschzettel geschrieben.

Tom betrachtet die Magd.

Tom: Was wünschst du dir zu Weihnachten?

Die Magd schaut auf ihr kleines Päckchen.

Magd: Ich wünsche mir, dass mein Großvater wieder gesund wird.

Violetta: Ach komm schon. Sowas wünscht man sich doch nicht zu Weihnachten.

Magd: Wieso nicht?

Paula: Weil es dir doch nichts bringt. Gesund macht der Arzt. Der Weihnachtsmann bringt die Geschenke.

Kim: Ja genau, du könntest dir doch ein Kleid wünschen. Ein Neues. Eines das nicht so viele Löcher hat, wie dieses. Ist ja voll aus

Theaterkids 2 - Fünf mitreisende Weihnachtsstücke für das Kinder- und Jugendtheater
ISBN 978-3-7347-4765-6

der Mode gekommen. Man könnte meinen du kämest aus einem anderen Jahrhundert.

Violetta: Wünschst du dir denn gar nichts für dich selbst?

Magd denkt kurz nach.

Magd: Nein. Doch. Vielleicht ein warmes Haus.

Tom: Das regelt bei uns die Heizung. Gibt es nichts anderes?

Magd denkt kurz nach und schüttelt dann den Kopf.

Violetta: Das hab ich ja noch nie gehört. Ein Kind ohne Wünsche. Wünsch dir einen Rucksack, dann musst du das Päckchen nicht mehr tragen.

Magd: Oh nein die Dame. In einer Tasche würde es gefrieren und könnte nicht mehr helfen.

Violetta: Nun lass doch endlich den Quatsch! Ich bin keine Dame! Ich bin Violetta und das sind Paula, Kim und ihr Bruder Tom. Wir wollen unser Taschengeld heute auf den Kopf setzen.

Magd: Oh verstehe. Ein Kunststück.

Theaterkids 2 - Fünf Weihnachtsstücke für das Kinder- und Jugendtheater
ISBN 978-3-7347-4765-6

Violetta: Kunststück? Nein, nein. Wir gehen schoppen. Du weißt schon, einkaufen. Kommst wohl aus dem Ausland?

Kim: Ich brauche noch einen warmen Schal und ein paar Winterschuhe für morgen. Wenn meine Familie kommt, will ich nicht aussehen, wie ...

Tom unterbricht sie und beendet den Satz lachend.

Tom: ... Miss Piggy.

Kim gibt ihrem Bruder einen Klapps.

Magd: Einen Schal habe ich noch nie gekauft. Meine Mutter ist eine segensreiche Näherin und hat erst diesen im Sommer für mich genäht.

Magd zeigt dabei stolz auf ihren Schal, welchen sie trägt.

Paula: Oh Gott, meine Oma hat mir mal so einen genäht und ich bin im Boden versunken. Wieso trägst du so einen Lappen?

Kim: Hey, das war nicht nett Paula! So schlimm ist er auch nicht. Meine Mutter strickt Socken und ich liebe sie, weil sie so kuschlig sind. Sie würden jetzt zwar keinen Schönheitswettbewerb gewinnen, aber das

Theaterkids 2 - Fünf mitreisende Weihnachtsstücke für das Kinder- und Jugendtheater
ISBN 978-3-7347-4765-6

müssen sie auch nicht. Ich weiß dass meine Mutter sie mit Liebe gemacht hat.

Paula: Wie romantisch. Meine Mutter bekommt einen Schreikrampf, wenn sie Wolle nur sieht. Allergie und so...

Violetta: Hört auf!

Violetta schaut zur Magd.

Violetta: Wie feiert ihr den eigentlich Weihnachten?

Magd: Oh, naja. Mutter bereitet einen leckeren Eintopf vor und Vater bringt den Weihnachtsbaum herein. Normalerweise würde mein Großvater kommen und wir erzählen uns Geschichten, bis spät in die Nacht.

Paula: Geschichten? Geschichten sind doch nur etwas für Kleink...

Violetta unterbricht Paula scharf.

Violetta: Psst!

Violetta wendet sich wieder an die Magd.

Violetta: Erzähl weiter. Was ist mit Geschenken?

Theaterkids 2 - Fünf Weihnachtsstücke für das Kinder- und Jugendtheater
ISBN 978-3-7347-4765-6

Magd: Geschenke?

Kim: Ja. Was schenkst du deinen Eltern und was schenken deine Eltern dir?

Magd: Oh.

Die Magd lächelt.

Magd: Vor drei Monden habe ich eine Decke genäht. Sie wird Mutter und Vater bestimmt sehr gefallen.

Paula: Du nähst? Wer macht sowas denn heutzutage noch selbst?

Violetta: Ich zufällig?!

Paula rollt mit den Augen.

Paula: Klar! Was sonst?

Tom: Mein Vater singt uns immer etwas vor. Er spielt am Heiligenabend auf dem Klavier. Manchmal singt Mutter dazu. Das ist immer zu witzig.

Violetta: Ja! Meine Schwester spielt auf der Flöte und mein Großvater Saxofon dazu. Jedes Jahr freue ich mich genau auf diese Dinge. Komisch nicht?

Kim: Ja, das ist das Schönste an Weihnachten.

Theaterkids 2 - Fünf mitreisende Weihnachtsstücke für das Kinder- und Jugendtheater
ISBN 978-3-7347-4765-6

Paula: Schönste? Das Schönste sind die Geschenke! Also jetzt kommt endlich weiter! Ich muss zum Kaufhaus!

Paula stapft los, doch Kim hält sie zurück.

Kim: Warte mal Paula. Ehrlich gesagt habe ich gar keine Lust mehr auf Shoppen.

Paula: Wie bitte?

Violetta: Ja Paula. Ich habe auch keine wirkliche Lust mehr.

Paula: Wieso denn nicht? Wollt ihr nicht die neuen Pantoletten und Ringe, das neue Handy und die ...

Tom schaut hinüber zur Magd und nickt.

Tom: Paula, versteh doch. Weihnachten ist irgendwie viel mehr als das.

Paula: Mehr als was?

Kim: Na die Geschenke, all dieser Kram aus dem Kaufhaus.

Violetta: Komm schon Paula. Lass uns dem Mädchen helfen ihren Großvater zu erreichen, damit er zu Weihnachten bei der Familie sein kann.

Theaterkids 2 - Fünf Weihnachtsstücke für das Kinder- und Jugendtheater
ISBN 978-3-7347-4765-6

Paula sieht sich um.

Paula: Aber? Aber...

Kim: Paula komm schon. Was wäre Weihnachten ohne gute Taten?

Paula rollt mit ihren Augen und schaut die Magd an.

Paula: Na schön. Ihr habt Recht. Wo wohnt denn dein Großvater?

Magd: Nicht weit von hier. Wenn doch der Schneesturm nicht wäre. Man sieht überhaupt nichts.

Die Magd rennt los und von der Bühne. Dabei verliert sie ihr Päckchen.

Kim: Warte. Nicht so schnell.

Da hört der Schneesturm auf und die vier Kinder stehen vor dem Kaufhaus. (Kaufhausschild wird hoch gehalten.) Verwundert sehen sie einander an.

Tom: Wie sind wir denn hier her gekommen? Wo ist das Mädchen hin?

Paula sieht das Päckchen, welches die Magd verloren hat.

Theaterkids 2 - Fünf mitreisende Weihnachtsstücke für das Kinder- und Jugendtheater
ISBN 978-3-7347-4765-6

Paula: Oh seht doch. Das Päckchen. Sie hat es fallen lassen. Oh nein!

Paula hebt das Päckchen auf. Alle starren es an.

Violetta: Was ist da wohl drin?

Paula öffnet das Päckchen und holt das selbstgebastelte Herz hervor. Sie breitet es aus.

Alle: Oh ist das schön.

Sie zeigen das Herz nun auch dem Publikum.

Paula: Ich habe jetzt auch keine Lust mehr einkaufen zu gehen.

Violetta legt die Arme um Paula.

Paula: Hey. Magst du mir zeigen wie man näht?

Violetta: Klar.

Kim: Oh ja, da mache ich mit.

Tom betrachtet das Herz.

Theaterkids 2 - Fünf Weihnachtsstücke für das Kinder- und Jugendtheater
ISBN 978-3-7347-4765-6

Tom: Ich glaub ich werde Mutter und Vater ein Gedicht schreiben.

Alle gehen von der Bühne.

Theaterkids 2 - Fünf mitreisende Weihnachtsstücke für das Kinder- und Jugendtheater
ISBN 978-3-7347-4765-6

Szene 3: Vor dem Uhrenladen

Uhrmacher, Ungläubiger und Erzähler 1 und 2 kommen auf die Bühne.
Sie stellen sich an die gleiche Position, wie sie aufgehört hatten zu spielen.

Erzähler 1: Wenn der Stern der Heiligen leuchtet.
Erweckt an fernen Orten ein Gebet.
Das Menschen mehr erkennen mögen,
was sich im Dunkeln alles regt.

Ungläubiger: Eine gute Geschichte mein Freund, die ihr da erzählt. Voller Zauber und Magie. Ein Bus... ein Handy... sonderbare Formen.

Erzähler 2 zeigt auf das Publikum.

Erzähler 2: Sehr wohl mein Herr. Dies Geschehen auf dem Weg der Offenbarung. Schauen sie. Ein Licht der geistigen Nahrung.

Ungläubiger: Was für Menschen leben in dieser Zeit?

Erzähler 1 hebt die Hand des Ungläubigen hoch, in der er das kleine Päckchen mit der gekauften Uhr hält.

Erzähler 1: Menschen wie du und ich, der Herr.

Theaterkids 2 - Fünf Weihnachtsstücke für das Kinder- und Jugendtheater
ISBN 978-3-7347-4765-6

Ungläubiger: Oh ja, ich sehe es jetzt. Weise Worte mein Freund. Mit ihnen sei der Herr.

Ungläubiger packt die Uhr aus und hält sie hoch, so dass das Publikum sie gut sehen kann.

Ungläubiger: Recht haben sie. Egal wie viel Neues und Sonderbares in etwas steckt, es wird nie das Herz ersetzen, mit dem der Mensche einander liebt.

Ende

Theaterkids 2 - Fünf mitreisende Weihnachtsstücke für das Kinder- und Jugendtheater
ISBN 978-3-7347-4765-6

Das Wüstengeschenk

Eine kleine Weihnachtsgeschichte

Für 10 Darsteller

Personen:

- Kleine Weihnachtselfe
- Löwe
- Giraffe
- Elefant
- Zebra
- Affe Flap
- Affe Flep
- Affe Flip
- Affe Flop
- Affe Flup

Wichtig ist, dass die Affen der Größe nach sortiert werden. Der größte Affe ist Flap und der kleinste ist Flup. Sie stehen auch immer so in Reihe.

Wichtige Gegenstände:

- Eine Sternschnuppe
- Glitzer, das runter rieseln kann
- Zwei große Palmenblätter
- Einen Korken
- Eine Schüssel Wasser
- Etwas trockene Erde
- Ein leicht verbeultes Geschenk

Theaterkids 2 - Fünf Weihnachtsstücke für das Kinder- und Jugendtheater
ISBN 978-3-7347-4765-6

Bühneneinrichtung:

Das Schauspiel findet in der Steppe statt. Nur in der Mitte der Bühne ist ein kleiner Schneeberg aufgebaut, auf dem die Elfe sitzt.

Theaterkids 2 - Fünf mitreisende Weihnachtsstücke für das Kinder- und Jugendtheater
ISBN 978-3-7347-4765-6

Das Wüstengeschenk

Tierkinder kommen auf die Bühne und spielen eine Weile miteinander.

Da rieselt plötzlich Glitter vom Himmel. Verwundert blicken sie hinauf, denn so etwas haben sie noch nicht gesehen. Wie eine Sternschnuppe gleitet etwas über ihren Köpfen hinweg und fällt zu Boden. Neugierig laufen die Tiere los.

Sie kommen dem Glitzern immer näher.

Die Elfe kommt auf die Bühne und klettert auf den Schneeberg.

Vorsichtig lugen sie hinter den Büschen hervor.

Eine Elfe sitzt auf einem kleinen Schneeberg und betrachtet ihre kaputten Flügel.

Elfe: Oje oje. Oje oje!

Das mutige Löwenjunge schleicht sich an die Elfe heran und riecht an ihr.

Sie wischt Glitter von ihren Flügeln und es fällt auf die Nase des Löwen, der auch gleich laut Niesen muss.

Löwe: Haaaatschi!

Elfe erschrickt und zittert.

Theaterkids 2 - Fünf Weihnachtsstücke für das Kinder- und Jugendtheater
ISBN 978-3-7347-4765-6

Elfe: Friss mich nicht.

Löwe: Fressen? Mami sagt, ich darf nicht fressen, was ich nicht kenne. Wer bist du?

Elfe: Ich bin Imli.

Die Elfe schlägt die Hände vor den Mund.

Elfe: Frisst du mich jetzt?

Der kleine Löwe lacht.

Löwe: Haha. Nein. Ich bin Koli der Löwe und das sind meine Freunde Gombo der Elefant, Rudi das Zebra, Aza die Giraffe und die Affenbande, Flap, Flep, Flip, Flop und Flup.

Tierkinder kommen hinter den Büschen hervor und begrüßen schüchtern und neugierig die Elfe.

Alle Affen: Was machst du hier?

Elfe dreht sich um, um ihren kaputten Flügel zu zeigen.

Giraffe: Oh nein! Du hast dich verletzt.

Die kleine Elfe nickt traurig.

Theaterkids 2 - Fünf mitreisende Weihnachtsstücke für das Kinder- und Jugendtheater
ISBN 978-3-7347-4765-6

Elfe: Das ist so furchtbar. So furchtbar. Wie soll ich jetzt zurück zum Nordpol kommen?

Zebra: Was willst du denn da? Ist doch viel zu kalt dort.

Elfe: Ich muss dringend das Geschenk zurückgeben.

Elfe holt hinter sich ein leicht verbeultes Geschenk hervor.

Alle Tiere: Oh!

Die Tiere beschnuppern das Geschenk.

Elefant: Was ist denn da drin?

Elfe: Oh! Ich habe ausversehen das falsche Geschenk eingepackt. Das Falsche. Eigentlich wünschte sich der Menschenjunge Abasi weißen kühlen glitzernden Schnee in einer gläsernen Kugel. Die Wichtel haben ihm eine Schneekugel gebastelt und ich dumme kleine Elfe habe den Zettel nicht richtig gelesen und Schlittschuhe eingepackt.

Flap: Schlittschuhe?

Flep: ...in der Wüste?

Elfe: Das ist es ja. Was soll Abasi mit Schlittschuhen in der Wüste?

Theaterkids 2 - Fünf Weihnachtsstücke für das Kinder- und Jugendtheater
ISBN 978-3-7347-4765-6

Flip: Damit kann er nicht fahren.

Flop: Ist also kein gutes Geschenk!

Flup: Du solltest es umtauschen.

Die kleine Elfe schaut auf ihre Flügel und seufzt.

Elfe: Wenn ich bis Morgen nicht zurück bin, bekommt Abasi sein Weihnachtsgeschenk nicht. Dann... dann... wird er sehr traurig sein. Oje, oje. Und das ist alles meine Schuld.

Löwe: Keine Sorge kleine Elfe. Wir helfen dir. Uns fällt bestimmt etwas ein.

Elfe: Was denn?

Alle Affen: Ja Koli, was denn? Was denn?

Zebra: Wir brauchen einen Plan.

Elefant: Wir könnten ein Katapult bauen. Dann setzen wir Imli darauf und Huiiiii.

Der kleine Elefant fährt mit seiner Hand durch die Luft.

Flap: Hebt sie ab...

Flep: ...fliegt in den Himmel...

Flip: ...überquert das Meer...

Theaterkids 2 - Fünf mitreisende Weihnachtsstücke für das Kinder- und Jugendtheater
ISBN 978-3-7347-4765-6

Flop: ...saust über Europa und...

Flup: ...landet direkt am Nordpol.

Zebra: Mmh. Ich glaube nicht dass ein Katapult Imli so weit fliegen lässt. Imli würde wahrscheinlich direkt im Meer landen.

Giraffe: Ich habs. Die Palmenblätter sind doch riesig. Wir könnten ihr ein paar Flügel basteln, sie auf das Katapult setzen und Huiii...

Kleine Giraffe fährt mit ihrer Hand durch die Luft.

Flap: Hebt sie ab...

Flep: ...fliegt in den Himmel...

Flip: ...überquert das Meer...

Flop: ...saust über Europa und...

Flup: ...landet direkt am Nordpol.

Elfe: Hmm, ich glaube das klappt auch nicht. Hoch oben ist es so kalt, dass das Wasser in den Blättern gefriert und ich abstürzen würde.

Sie zeigt traurig ihre gebrochenen Flügel.

Alle Affen: Autsch.

Theaterkids 2 - Fünf Weihnachtsstücke für das Kinder- und Jugendtheater
ISBN 978-3-7347-4765-6

Und halten sich Augen, Müder und / oder Ohren zu.

Elefant: Und wenn wir die Vögel bitten dich mitzunehmen?

Flap: Hebt sie ab...

Flep: ...fliegt in den Himmel...

Flip: ...überquert das Meer...

Flop: ...saust über Europa und...

Flup: ...landet direkt am Nordpol.

Löwe: Aber Gombo. Die Vögel kamen, um hier zu überwintern. Sie können nicht zurück, weil es ihnen zu kalt wäre. Und die Vögel die es könnten, kommen bei uns nicht vorbei, sondern überwintern im Norden.

Elfe: Es ist hoffnungslos. Oje, oje. Der arme Abasi. Er wird kein Geschenk bekommen. Oje, oje.

Das Zebra tröstet die kleine Elfe.

Zebra: Na na na. Uns fällt bestimmt noch etwas ein.

Giraffe: Was wünscht sich Abasi nochmal?

Flap: Kälte

Theaterkids 2 - Fünf mitreisende Weihnachtsstücke für das Kinder- und Jugendtheater
ISBN 978-3-7347-4765-6

Flep: Glitzern

Flip: Berge

Flop: Schnee

Flup: in einer gläsernen Kugel.

Löwe: Muss es eine Kugel sein?

Elfe: Wie meinst du das?

Löwe: Wartet hier, ich hol schnell was. Dann kann ich es euch zeigen.

Der Löwe rennt hinter die Bühne und holt eine leere weiße Flasche.

Löwe: Die habe ich gestern im Wald gefunden.

Elfe: Was willst du mit diesem Müll?

Alle Affen: Das ist kein Müll. Das ist unsere Winterflasche.

Zebra: Das ist eine super Idee. Wir füllen sie auf mit...

Flap hebt eine Schale mit Wasser hoch.

Flap: Wasser vom Fluss

Theaterkids 2 - Fünf Weihnachtsstücke für das Kinder- und Jugendtheater
ISBN 978-3-7347-4765-6

Flep streift Glitzer von den Flügeln der Elfe.

Flep: und Glitzer von Imlis Flügeln

Flip hebt trockene Erde hoch.

Flip: und getrocknete Tonerde aus dem Dorf

Giraffe: Ja, daraus formen wir die Berge. Dann verschließen wir sie mit...

Flop: Einem Korken!

Flup hebt einen Korken hoch.

Flup: Ich hab schon einen.

Löwe: Das wird spitze.

Elfe: Ich weiß nicht. Das sieht nicht schön aus. Das ist nicht das was er sich wünschte. Er wollte eine Schneekugel. Eine Kugel schön rund. Keine Flasche. Er möchte zarten Schnee und keine Erde.

Elefant: Aber Imli. Ist es wichtig ob etwas rund oder oval ist, dick oder dünn?

Zebra: Das sehe ich genauso. Zu Weihnachten darf man sich zwar etwas wünschen und bekommt seinen Wunsch erfüllt, doch das

Theaterkids 2 - Fünf mitreisende Weihnachtsstücke für das Kinder- und Jugendtheater
ISBN 978-3-7347-4765-6

heißt nicht, dass jede Erfüllung auch den eigenen Vorstellungen entsprechen muss.

Löwe: Gibt doch Anderes was viel wichtiger ist, wenn man ein Geschenk macht.

Elfe: Mmh.

Die kleine Elfe betrachtet die Flasche.

Elfe: Ich glaube ihr habt Recht. Zu Weihnachten ist es ja nicht wirklich wichtig das Abasi ein korrektes Geschenk bekommt, sondern mit der Vorstellung überrascht wird, dass wir an ihn gedacht haben.

Alle: Ja.

Elfe: Jetzt sollte ich ihm die Überraschung schnell bringen.

Elefant: Spring auf Imli. Wir bringen dich hin.

Alle Affen klatschen wild in ihre Hände.

Alle Affen: Super, Prima, Affenstark. Wir tragen das Wüstengeschenk!

Alle gehen von der Bühne.

Ende

Theaterkids 2 - Fünf Weihnachtsstücke für das Kinder- und Jugendtheater
ISBN 978-3-7347-4765-6

Geheimagent Nordlicht und der Weihnachtsdieb

Eine spannende Weihnachtsgeschichte

Ab 12 Darsteller

Personen:

- Geheimagent Nordlicht
- Weihnachtsmann
- Weihnachtsmann 2 (Unter der „Decke")
- Engel 1
- Engel 2
- Engel 3
- Engel 4
- Wichtel 1
- Wichtel 2
- Wichtel 3
- Wichtel 4
- Mond
- Sonne

(Das Kind, welches die Sonne spielt, schnarcht auch laut hinter der Bühne für den Weihnachtsmann in den Schlafszenen.

Wichtig ist auch, dass der Weihnachtsmann immer 2 Listen in die Box legt.)

Theaterkids 2 - Fünf Weihnachtsstücke für das Kinder- und Jugendtheater
ISBN 978-3-7347-4765-6

Wichtige Gegenstände:

- Ein Telefon
- Viele Briefe
- Verschiedene Werkzeuge
- Verschiedenes Spielzeug
- Eine große Kamera
- Ein großer Bettbezug unter die der Weihnachtsmann verschwinden kann.
- Ein Kopfkissenbezug
- Eine kleine Kuscheldecke
- Ein Weihnachtsbaum
- Eine Box
- Genug Papierlisten

Bühneneinrichtung:

Auch wenn die erste Szene in einem Zimmer spielt, kann die Kulisse bereits so gestaltet sein, wie sie am Nordpol wäre. Der Stuhl des Weihnachtsmannes steht in der Mitte. Rechts sitzen die Engel und links die Wichtel.

Wichtig ist, dass während der Schlafszenen eine Schlafmusik ertönt.

Ebenso ist es eine coole Sache, wenn während die Engel und Wichtel arbeiten, ebenfalls eine Weihnachtsmusik ertönen würde.

Theaterkids 2 - Fünf mitreisende Weihnachtsstücke für das Kinder- und Jugendtheater
ISBN 978-3-7347-4765-6

Geheimagent Nordlicht und der Weihnachtsdieb

Szene 1

Geheimagent Nordlicht kommt auf die Bühne.

Geheimagent Nordlicht: Die Geschichte, die ich euch heute erzählen möchte, ist nicht gelogen und hatte sich genauso zugetragen. Es ist die Geschichte eines meiner interessantesten Fälle, denn ich habe Weihnachten gerettet.
Was, das glaubt ihr nicht?
Wie? Das wollt ihr gerne wissen?
Haha. Gut, ich will es euch erzählen, doch vorher möchte ich mich erst einmal vorstellen.
Ob früh zu Tage oder spät zur Stund.
Ist's ein Fall für exquisite Kund?
Ist's Klag vom Engel oder Wicht,
dies ist ein Fall für mich!
Ich bin der Meisterdetektiv des Nordens.
Ich, bin Geheimagent Nordlicht.
Aber nun zur Geschichte.

Geheimagent Nordlicht geht zum Telefon.

Geheimagent Nordlicht: Eines Tages hatte ich gerade ziemliche Langeweile und knackte eher Wallnüsse,

Theaterkids 2 - Fünf Weihnachtsstücke für das Kinder- und Jugendtheater
ISBN 978-3-7347-4765-6

statt Kopfnüsse. Da erhielt ich plötzlich einen dringenden Anruf.

Das Telefon klingelt und der Agent hebt das Telefon ab.

Geheimagent Nordlicht: Geheimagent Nordlicht, was ist ihre Knacknuss? Ach, ich meine ihr Problem?

Man sieht den Wichtel 1 und den Wichtel 2 nicht, aber hört ihn nur.

Wichtel 1: Ähm. Also. Der Weihnachtsmann braucht dringend ihre Hilfe Geheimagent Nordlicht. Hier wurde etwas gestohlen!

Geheimagent Nordlicht: Oha. Ein Dieb in der Weihnachtsstadt? Das ist großartig.

Wichtel 2: Nein schrecklich.

Geheimagent Nordlicht: Freilich. Schrecklich, aber großartig für mich, ich liebe harte Nüsse. Ich bin auf dem Weg.

Der Geheimagent Nordlicht legt das Telefon auf.

Geheimagent Nordlicht: Tja, Ich machte mich also auf den Weg zum Nordpol.

Geheimagent Nordlicht geht hinter die Bühne.

Theaterkids 2 - Fünf mitreisende Weihnachtsstücke für das Kinder- und Jugendtheater
ISBN 978-3-7347-4765-6

Szene 2

Die Sonne wird gezeigt.

Wichtel, Engel und der Weihnachtsmann kommen auf die Bühne und setzen sich auf ihre Plätze. Der Weihnachtsmann liest die Weihnachtspost.

In einer Ecke sitzen die Engel und streiten sich über einen Brief den sie von Hand zu Hand zerren.

Engel 1: Also ich soll ihm jetzt den Brief von Helga bringen.

Engel 2: Ich soll ihm den Brief von Helga bringen.

Engel 1: Nein, nein. Ich soll ihn bringen.

Engel 3: Aber er hat mir gesagt, dass ich den Brief von Helga bringen soll.

Engel 2: So ein Quatsch. Du sollst ihm den Brief von Tanja bringen und ich den Brief von Helga.

Engel 3: So ein Blödsinn. Was glaubst du denn was ich hier in der Hand habe. Das ist der Brief von Helga.

Engel 1: Ja und den soll ich ihm bringen.

Engel 4: Was tut ihr denn da? Ich habe dem Weihnachtsmann doch schon den Brief von Helga gebracht. Seht nur, er liest ihn doch gerade.

Theaterkids 2 - Fünf Weihnachtsstücke für das Kinder- und Jugendtheater
ISBN 978-3-7347-4765-6

Engel 1: Und wem ist dieser Brief dann hier?

Engel 4: Du hältst ihn falsch herum und da drauf steht nicht Helga, sondern Holga.

Engel 2: Aber was soll ich jetzt machen?

Engel 4: Du solltest ihm den Brief von Max bringen.

Engel 1: Und ich?

Engel 4: Du bringst ihm diesen Brief. Der ist von Lisa.

Engel 3: Dann bring ich dem Weihnachtsmann den Brief von Sebastian.

Engel 4: Nein, den bringe ich ihm jetzt. Du fliegst zum Tor und wartest auf Spezialagent Nordlicht.

Engel 1, 2 und 4 gehen mit ihren Briefen zum Weihnachtsmann und stellen sich bei ihm an.

Engel 3 geht von der Bühne.

Theaterkids 2 - Fünf mitreisende Weihnachtsstücke für das Kinder- und Jugendtheater
ISBN 978-3-7347-4765-6

Szene 3

Die Wichtel schubsen sich.

Wichtel 1: Ich bin mir ganz sicher, dass Luis eine Eisenbahn wollte.

Wichtel 2: Nein, Luis sollte ein Fernrohr bekommen.

Wichtel 1: Nein. Das kann gar nicht sein. Schau, ich hab Luis drauf geschrieben.

Wichtel 3: Da steht Luis? Ich dachte, die Eisenbahn sollte Tim bekommen.

Wichtel 2: Siehst du. Ich hatte Recht.

Wichtel 4: Nein. Luis sollte mein Krokodil bekommen. Das stand so auf der Liste.

Wichtel 1: Dann zeig doch die Liste.

Wichtel 4: Würde ich ja, wenn sie letzte Nacht nicht gestohlen worden wäre!

Wichtel 3: Ich kann so einfach nicht arbeiten! Vermutlich soll die Puppenküche, die ich gebastelt habe nicht Claudia, sondern Maria bekommen. Oh je, ich werde noch wahnsinnig!

Wichtel 4: Geht mir genauso. Fragen wir noch einmal den Weihnachtsmann.

Theaterkids 2 - Fünf Weihnachtsstücke für das Kinder- und Jugendtheater
ISBN 978-3-7347-4765-6

Wichtel stellen sich auf der anderen Seite beim Weihnachtsmann an.

Engel 1: Hier ist der Brief von Lisa.

Weihnachtsmann: Lisa? Aber liebe Engel, ich bin doch noch bei den Namen mit dem Buchstaben H. Jetzt kommt doch Henry.

Engel 2: Oh je. Henry haben wir nicht dabei.

Engel 2 geht zurück an seinen Platz.

Wichtel 1: Lieber Weihnachtsmann, hier herrscht so ein durcheinander. Wir wissen alle nicht mehr, wer nun welches Geschenk bekommt.

Wichtel 3: So können wir einfach nicht arbeiten.

Wichtel 4: Wir brauchen die Listen.

Der Weihnachtsmann seufzt.

Weihnachtsmann: Ja, die brauchen wir alle und ich denke die Engel sortieren alle Briefe schon fleißig.

Engel 1: Wir tun wirklich unser Bestes liebe Wichtel.

Engel 4: Ich hoffe Geheimagent Nordlicht wird bald hier eintreffen.

Theaterkids 2 - Fünf mitreisende Weihnachtsstücke für das Kinder- und Jugendtheater
ISBN 978-3-7347-4765-6

Geheimagent Nordlicht kommt mit Engel 3 auf die Bühne.

Geheimagent Nordlicht: Ob früh zu Tage, oder spät zur Stund. Ein Fall für exquisite Kund. Ist's Klag vom Engel oder Wicht, dies ist ein Fall für mich! Geheimagent Nordlicht, zu ihren Diensten!

Weihnachtsmann: Zum Glück sind sie endlich da.

Wichtel 3: Wir sind schon ganz verzweifelt.

Alle Wichtel nickten.

Geheimagent Nordlicht: Oh ha, was war geschehen?

Weihnachtsmann: Ach es ist so furchtbar. Es gibt einen Dieb in unserer Weihnachtsstadt.

Geheimagent Nordlicht: So so ein Dieb. Aha.

Wichtel 2: Ja und er stiehlt immer die neuen Listen.

Engel 4: Alle Listen, die der bösen Kinder und die der Guten.

Engel 2: Jetzt weiß keiner mehr was er zu tun hat. Ich glaubte einen Brief an den Weihnachtsmann zu übergeben, den eigentlich...

Engel 3 beendet den Satz.

Theaterkids 2 - Fünf Weihnachtsstücke für das Kinder- und Jugendtheater
ISBN 978-3-7347-4765-6

Engel 3: Ich übergeben sollte.

Engel 1: Genau.

Weihnachtsmann: Wie sie sehen, herrscht absolutes Chaos. Ohne die Listen ist hier alles verloren. Ich bezweifle ganz stark, dass wir zum Weihnachtsfest rechtzeitig mit allen Geschenken fertig werden, wenn das weiter so geht. Und schlimmer noch, möglicherweise bekommt kein Kind das Geschenk was es sich gewünscht hat.

Wichtel 1: Sie müssen uns helfen Geheimagent Nordlicht.

Wichtel 4: Sie sollen weit und breit der Beste sein.

Geheimagent Nordlicht: Haha, das bin ich wohl, das bin ich. Dann sollte uns schnell etwas einfallen. Hat jemand diesen Dieb gesehen?

Alle schütteln den Kopf.

Engel 4: Er kommt immer nur nachts. Dann, wenn alle schlafen.

Geheimagent Nordlicht: So, so ein sehr schlauer Dieb. Wir müssen also mit aller Raffinesse herangehen. Hmmm. Ich hab da auch gleich eine Idee.

Geheimagent Nordlicht geht hinter die Bühne.

Theaterkids 2 - Fünf mitreisende Weihnachtsstücke für das Kinder- und Jugendtheater
ISBN 978-3-7347-4765-6

Engel 1: Was hat er vor?

Die anderen zucken mit den Schultern. Geheimagent Nordlicht kommt mit einer Kamera wieder.

Geheimagent Nordlicht: So, dies ist die Silverstar Zoom XXL. Das neuste Modell der modernen Spurenanalyse. Eine Kamera der Superlative. Die wird unseren ungewollten Gast schon festhalten.

Alle: Ooooh!

Weihnachtsmann: Das wäre super. Hohoho.

Geheimagent Nordlicht: Ich werde sie gleich einmal installieren.

Weihnachtsmann: Und ihr alle geht wieder an eure Arbeiten. Immerhin muss ich die neue Liste wieder fertig bekommen.

Alle Wichtel und Engel gehen in ihre Ecken und arbeiten. Der Weihnachtsmann schreibt an seiner Liste.

Theaterkids 2 - Fünf Weihnachtsstücke für das Kinder- und Jugendtheater
ISBN 978-3-7347-4765-6

Szene 4

Der Mond geht auf, die Sonne geht unter und alle werden müde.

Weihnachtsmann: Macht Schluss ihr Lieben. Nun ist Schlafenszeit. Die neue Liste ist fertig und ich verstaue sie hier sicher in der Box. Nun alle ab ins Bett.

Weihnachtsmann legt die Liste in eine Box neben seinem Stuhl.

Geheimagent Nordlicht: Und keine Sorge. Die Kamera ist fest installiert!

Geheimagent Nordlicht und Weihnachtsmann gehen hinter die Bühne.

Wichtel und Engel legen sich auf der Bühne an ihren Plätzen hin.

Theaterkids 2 - Fünf mitreisende Weihnachtsstücke für das Kinder- und Jugendtheater
ISBN 978-3-7347-4765-6

Szene 5

Es erklingt ein Schlaflied.

Weihnachtsmann versteckt sich im Bettbezug und kommt langsam auf die Bühne.

Die Sonne hinter der Bühne schnarcht laut für den Weihnachtsmann.

Der Weihnachtsmann unter dem Bettbezug geht zu der Box, öffnet sie und entfernt die Liste. Man sieht nur dessen Beine.

Danach geht der Weihnachtsmann unter dem Bettbezug von der Bühne.

Theaterkids 2 - Fünf Weihnachtsstücke für das Kinder- und Jugendtheater
ISBN 978-3-7347-4765-6

Szene 6

Ein Hahn kräht.
Der Mond geht unter und die Sonne geht auf.
Weihnachtsmann und Geheimagent Nordlicht kommen auf die Bühne.

Weihnachtsmann: Guten Morgen liebe Wichtel und Engel. Der Tag beginnt und wir haben viel zu tun.

Er öffnet die Box während die Wichtel und Engel erwachen.

Weihnachtsmann: Ach du Schreck! Die Liste, seht! Die Liste ist weg!

Geheimagent Nordlicht: Keine Panik, keine Panik. Ich bin schon zur Stell. Meine Silverstar hat bestimmt den Dieb festgehalten. Lasst uns gleich einmal nachsehen.

Alle stellen sich hinter die Kamera und sehen hinein.

Ohne Geräusche kommt der Weihnachtsmann 2 unter dem Bettbezug auf die Bühne und stiehlt die Liste aus der Box. Dann geht er wieder von der Bühne.

Wichtel 2: So ein Mist.

Wichtel 1: Ich hab nur seine Beine gesehen.

Theaterkids 2 - Fünf mitreisende Weihnachtsstücke für das Kinder- und Jugendtheater
ISBN 978-3-7347-4765-6

Engel 1: Wer ist er nur? Ich kenne ihn nicht.

Engel 3: Er trägt eine rote Hose.

Wichtel 4: Ohjeoje. Was sollen wir nur machen. Die schöne Liste, nun ist sie fort, alles muss von vorne beginnen und Weihnachten?

Engel 2: Muss ausfallen!

Engel 4: Wie furchtbar!

Weihnachtsmann: Hier fällt nichts aus. Nein, nein, denkt nur an all die lieben Kinder, sie werden bitterlich enttäuscht sein. Oh nein! Wir müssen noch einmal eine Liste machen. Also los, gehen wir gleich an die Arbeit.

Alle Wichtel und Engel gehen in ihre Ecken und arbeiten.
Der Weihnachtsmann schreibt an seiner Liste.

Theaterkids 2 - Fünf Weihnachtsstücke für das Kinder- und Jugendtheater
ISBN 978-3-7347-4765-6

Szene 7

Der Mond geht auf, die Sonne geht unter und alle werden müde.

Weihnachtsmann: Macht Schluss ihr Lieben. Nun ist Schlafenszeit. Die neue Liste ist fertig und ich verstaue sie hier sicher in der Box, welche ich auch unter meinen Stuhl stelle. Nun alle ab ins Bett.

Weihnachtsmann legt die Liste in eine Box unter seinen Stuhl.

Geheimagent Nordlicht: Und keine Sorge. Die Kamera ist direkt darauf gerichtet! Nun wird sie den Dieb schon fangen.

Geheimagent Nordlicht und Weihnachtsmann gehen hinter die Bühne.
Wichtel und Engel legen sich auf der Bühne an ihren Plätzen hin.

Theaterkids 2 - Fünf mitreisende Weihnachtsstücke für das Kinder- und Jugendtheater
ISBN 978-3-7347-4765-6

Szene 8

Es erklingt ein Schlaflied.

Weihnachtsmann versteckt sich im Kopfkissenbezug und kommt langsam auf die Bühne.

Die Sonne hinter der Bühne schnarcht laut für den Weihnachtsmann.

Der Weihnachtsmann unter der Decke geht zu der Box, öffnet sie und entfernt die Liste. Man sieht nur dessen Beine und Rumpf.

Danach geht der Weihnachtsmann unter dem Kopfkissenbezug von der Bühne.

Theaterkids 2 - Fünf Weihnachtsstücke für das Kinder- und Jugendtheater
ISBN 978-3-7347-4765-6

Szene 9

Ein Hahn kräht. Der Mond geht unter und die Sonne geht auf.

Weihnachtsmann und Geheimagent Nordlicht kommen wieder auf die Bühne.

Weihnachtsmann: Guten Morgen liebe Wichtel und Engel. Der Tag beginnt und wir haben viel zu tun.

Er öffnet die Box während die Wichtel und Engel erwachen.

Weihnachtsmann: Ach du Schreck! Die Liste, seht! Die Liste ist weg!

Geheimagent Nordlicht: Keine Panik, keine Panik. Ich bin schon zur Stell. Meine Silverstar hat bestimmt den Dieb festgehalten. Lasst uns gleich einmal nachsehen.

Alle stellen sich hinter die Kamera und sehen hinein.

Ohne Geräusche kommt der Weihnachtsmann 2 unter dem Kopfkissenbezug auf die Bühne und stiehlt die Liste aus der Box. Dann geht er wieder von der Bühne.

Wichtel 3: Oh nein!

Wichtel 4: Ich konnte schon wieder nichts erkennen!

Theaterkids 2 - Fünf mitreisende Weihnachtsstücke für das Kinder- und Jugendtheater
ISBN 978-3-7347-4765-6

Engel 1:	Wer ist er nur? Ich kenne ihn nicht.
Engel 3:	Er trägt eine rote Hose und eine rote Jacke.
Wichtel 4:	Ohjeoje. Was sollen wir nur machen. Die schöne Liste, nun ist sie schon wieder fort, alles muss von vorne beginnen und Weihnachten?
Engel 2:	Muss aber nun wirklich ausfallen!
Engel 4:	Wie furchtbar!
Weihnachtsmann:	Hier fällt nichts aus. Nein, nein, denkt nur an all die lieben Kinder, sie werden bitterlich enttäuscht sein. Oh nein! Wir müssen noch einmal eine Liste machen. Also los, gehen wir gleich an die Arbeit.

Theaterkids 2 - Fünf Weihnachtsstücke für das Kinder- und Jugendtheater
ISBN 978-3-7347-4765-6

Szene 10

Der Mond geht auf, die Sonne geht unter und alle werden müde.

Weihnachtsmann: Macht Schluss ihr Lieben. Nun ist Schlafenszeit. Die neue Liste ist fertig und ich verstaue sie hier sicher in der Box, welche ich auch hinter meinen Stuhl stelle. Nun alle ab ins Bett.

Weihnachtsmann legt die Liste in eine Box hinter seinen Stuhl.

Geheimagent Nordlicht: Und keine Sorge. Die Kamera ist passend gestellt! Nun wird sie den Dieb wirklich fangen.

Geheimagent Nordlicht und Weihnachtsmann gehen hinter die Bühne. Wichtel und Engel legen sich auf der Bühne an ihren Plätzen hin.

Theaterkids 2 - Fünf mitreisende Weihnachtsstücke für das Kinder- und Jugendtheater
ISBN 978-3-7347-4765-6

Szene 11

Wichtel 1: Ich kann nicht schlafen.

Wichtel 3: Wenn morgen die Liste schon wieder fort ist, dann werden wir ganz bestimmt nicht rechtzeitig fertig.

Wichtel 4: Ja! Ich glaube wir sollten es selbst in die Hand nehmen.

Wichtel 3: Du meinst?

Wichtel 2: Komm, wir schnappen uns den Dieb.

Wichtel rappeln sich auf und verstecken sich seitlich hinter einem Weihnachtsbaum.

Engel 1: Ich glaube die Wichtel haben etwas vor. Seht nur.

Engel 4: So wie es aussieht, legen sie sich auf die Lauer.

Engel 2: Sie wollen wohl den Dieb fassen.

Engel 3: Keine so schlechte Idee. Kommt, wir gehen ihnen helfen.

Engel 4: Ja, ich habe es satt, neue Listen zu schreiben.

Theaterkids 2 - Fünf Weihnachtsstücke für das Kinder- und Jugendtheater
ISBN 978-3-7347-4765-6

Engel gehen zu den Wichteln.

Engel 2: Wir wollen euch helfen.

Wichtel 1: Toll!

Wichtel 4: Psst, ich höre schon was.

Es erklingt ein Schlaflied.

Weihnachtsmann versteckt sich unter einer kleinen Kuscheldecke und kommt langsam auf die Bühne.

Die Sonne hinter der Bühne schnarcht laut für den Weihnachtsmann.

Der Weihnachtsmann unter der Decke geht zu der Box, öffnet sie und entfernt die Liste.

Wichtel und Engel: Halt du Dieb!

Wichtel 2 zieht dem Weihnachtsmann die Decke vom Kopf.

Weihnachtsmann schläft und gähnt.

Die Wichtel winken vor seinen Augen. Nichts geschieht.

Der Weihnachtsmann schlafwandelt weiter und geht von der Bühne.

Der Hahn kräht und die Sonne geht auf und der Mond unter.

Theaterkids 2 - Fünf mitreisende Weihnachtsstücke für das Kinder- und Jugendtheater
ISBN 978-3-7347-4765-6

Engel 1:	Ohje, was machen wir jetzt nur?
Wichtel 2:	Wir werden es Geheimagent Nordlicht sagen!
Alle:	Ja genau!

Alle gehen von der Bühne.

Von der anderen Seite kommt der Weihnachtsmann gähnend herein. Er streckt sich.

Weihnachtsmann:	Oh Schreck! Jetzt sind sie alle weg!
Geheimagent Nordlicht:	Nein, nein, lieber Weihnachtsmann. Sie müssen nur noch etwas holen. In der Weile zeige ich ihnen, was in der Nacht wirklich geschehen ist.
Weihnachtsmann:	Sie meinen sie haben den Dieb?
Geheimagent Nordlicht:	Jaha, so kann man es sagen.
Weihnachtsmann:	Na schön, dann mal her damit!

Weihnachtsmann und Geheimagent Nordlicht stellen sich hinter die Kamera.

Wichtel und Engel kommen herein und stellen sich in derselben Reihenfolge wieder hinter den Weihnachtsbaum. Sie tun so als ob sie warten.

Theaterkids 2 - Fünf Weihnachtsstücke für das Kinder- und Jugendtheater
ISBN 978-3-7347-4765-6

Da kommt der Weihnachtsmann 2 mit Decke über dem Kopf herein und stielt die Liste.

Weihnachtsmann: Ach ich kann schon wieder nichts erkennen.

Geheimagent Nordlicht: Warten sie es ab.

Wichtel 2 zieht die Decke vom Kopf des Weihnachtsmanns.

Weihnachtsmann 2 gähnt und schlafwandelt wieder hinter die Bühne.

Engel und Wichtel verschwinden auch hinter der Bühne und nehmen sich jeder eine der vielen Listen, welche sie später dann nach oben halten werden.

Geheimagent Nordlicht: Haha. Kaum zu glauben. Ein gestochen scharfes Bild.

Weihnachtsmann: Das ist ein Doppelgänger?

Geheimagent Nordlicht: Nein lieber Weihnachtsmann. Das waren eindeutig sie. Sie schlafwandeln nur.

Weihnachtsmann: Ich tue was?

Engel 3: Sie schlafwandeln!

Engel 1: Hier ist ihre Liste.

Engel 2: Und hier!

Engel 4: Hier ist sie von vorgestern.

Theaterkids 2 - Fünf mitreisende Weihnachtsstücke für das Kinder- und Jugendtheater
ISBN 978-3-7347-4765-6

Wichtel 1:	Und hier von gestern.
Wichtel 2:	Die ist von dieser Nacht.
Wichtel 3:	Wir haben sie alle wiedergefunden.
Wichtel 4:	Unter ihrem Kopfkissen.
Weihnachtsmann:	Aber wie?
Geheimagent Nordlicht:	Sie waren wohl so mit ihren Gedanken bei der Arbeit, dass sie auch während sie schliefen, weiter gearbeitet haben.
Weihnachtsmann:	Oh je. Das ganze Chaos wegen mir?
Geheimagent Nordlicht:	Ich würde sagen, sie sind durch und durch Weihnachtsmann. Vielleicht brauchen sie mal Urlaub?
Engel 2:	Ja, aber erst nach getaner Arbeit.
Wichtel 1:	Immerhin wollen wir die Kinder nicht warten lassen.
Engel 3:	Und wir wissen ja jetzt wieder wie es geht.
Wichtel 2:	Sogar in mehrfacher Ausführung.

Alle Zettel werden hochgehalten.

Weihnachtsmann:	Hohoho! Da habt ihr Recht. Also los, los, ans Werk. Liebe Wichtel und Engel geht an eure Plätze. Wir wollen die Arbeit beginnen.

Theaterkids 2 - Fünf Weihnachtsstücke für das Kinder- und Jugendtheater
ISBN 978-3-7347-4765-6

Alle Wichtel und Engel gehen an ihre Arbeit.

Der Weihnachtsmann wendet sich an Geheimagent Nordlicht.

Weihnachtsmann: Nun, ich muss ihnen danken. Sie haben Weihnachten gerettet.

Geheimagent Nordlicht: Haha. Ja, was für eine große Aufregung.
Aber es ist so wie ich es sagte...
Ob früh zu Tage, oder spät zur Stund.
Ein Fall für exquisite Kund?
Ist's Klag vom Engel oder Wicht,
dies ist stets ein Fall für mich!
Tschüüüüüß.
Bis zum nächsten Mal, sagt euer
Geheimagent Nordlicht.

Alle: Tschüüüüüß.

Geheimagent Nordlicht geht von der Bühne und alle anderen gehen wieder an die Arbeit.

Der Weihnachtsmann, auf seinem Stuhl, nimmt die Briefe der Engel entgegen.

Die Engel sortieren die Briefe und die Wichtel bauen fleißig das Spielzeug.

Ende

Theaterkids 2 - Fünf mitreisende Weihnachtsstücke für das Kinder- und Jugendtheater
ISBN 978-3-7347-4765-6

Eine Reise um den Weihnachtsbaum

Eine kleine Weihnachtsgeschichte

Ab 11 Darsteller

(Es wäre denkbar, dass die kleinen Wink-Elemente für das Schauspiel hinter der Schattenwand und die Kuscheltiere in der Puppenschule, auch durch richtige Darsteller ersetzt werden könnten, weshalb es dann ein Stück für mehr als 11 Darsteller sein würde.)

Personen:

- Die Puppe Luzi
- Die Puppe Kira (trägt eine Brille)
- Die Puppe Mia
- Botanikus die Topfblume
- Trompete
- Schatten
- Mrs. Nelly die Puppenlehrerin (hat einen Zeigestab)
- Rommel der kleine Drachen
- Ki ein Ninja
- No ein Ninja
- Rudi der kleine Pinguin

Die Kinder, die die Puppen spielen und das Kind welches die Blume spielt, sind bereits auf der Bühne. Dabei sitzen die Puppen unter dem Baum zwischen den Geschenken und die Blume sitzt in einem großen Blumentopf und schläft.

Theaterkids 2 - Fünf Weihnachtsstücke für das Kinder- und Jugendtheater
ISBN 978-3-7347-4765-6

Wichtig ist auch, dass Rudi, Rommel und die beiden Ninjas irgendwo in einem großen Geschenk versteckt sitzen und sozusagen versteckt auf der Bühne sind.

Wichtige Gegenstände:

- Schattenwand
- Großer Weihnachtsbaum
- Viele große Geschenke worin sich auch ein Kind verstecken kann
- Eine Schultafel und ein paar Kuscheltiere die auf Stühlen vor der Tafel sitzen.
- Ein kleines flaches Geschenk und eine Schleife
- Aus Pappe gebastelt (Kleine Wink-Elemente mit denen der Schatten dann hinter der Schattenwand spielen kann.)
  - Einen Weihnachtsbaum
  - Einen Weihnachtsmann
  - Kinder aus Pappe
  - Geschenke aus Pappe
  - Zwei kleine Ninjas
  - Ein Pinguin
  - Drei Puppen
  - Eine Lehrerin
  - Eine Trompete
  - Einen Spiegel
  - Fragezeichen

Bühneneinrichtung:

Das Stück spielt unter dem Weihnachtsbaum. Daher ist es ratsam einen großen Weihnachtsbaum als Kulisse zu haben und jede Menge Geschenke.
Neben dem Weihnachtsbaum sollte es eine Schattenwand geben, hinter der ein Kind spielen kann.

Theaterkids 2 - Fünf mitreisende Weihnachtsstücke für das Kinder- und Jugendtheater
ISBN 978-3-7347-4765-6

Eine Reise um den Weihnachtsbaum

Botanikus, Luzi, Mia und Kira sind bereits auf der Bühne.

Luzi: Hach es ist so fürchterlich still, hier.

Mia: Psst, du störst meinen Schönheitsschlaf.

Kira: Haha, als könnte der noch was helfen.

Mia: Na bei dir hat es ja eh keinen Sinn. Hässliche Brillenschlange.

Kira: Tja, dumme Puppen wissen eben nicht, dass die Schlauen Brillen tragen.

Luzi: Haha, hässlich und schlau, das passt ja prima. Ich bin hübsch und klug. Das ist es worauf die Kinder stehen. Was wollen sie schon mit euch?

Mia: Wer sagt denn dass du hübsch bist? Ich habe so wundervolles Haar. Das können die Kinder so schön kämmen.

Luzi: Kämmen? Ich trage die wunderschönsten Kleider.

Kira: Wunderschön. Ich glaube du brauchst eine Brille.

Theaterkids 2 - Fünf Weihnachtsstücke für das Kinder- und Jugendtheater
ISBN 978-3-7347-4765-6

Botanikus: Oh neee!!! Jedes Jahr dasselbe! Da sitzen unter dem Weihnachtsbaum ein Haufen Geschenke und können an nichts anderes denken als an ihre Schönheit. Dabei sind sie alle, drei Tage nach Weihnachten, auch schon wieder total out. Goldenes Haar. Schöne Kleider. Fehlt nur noch das sie ihre Armlängen vergleichen.

Luzi: Meine Arme sind die Schlankesten.

Botanikus: Na was habe ich gesagt! Oh ich hasse Weihnachten. Und schlimmer noch, ich hasse diesen blöden Weihnachtsbaum. Schaut ihn euch doch nur einmal an. Da steht er mit Kerzen und Kugeln. Was soll denn das? Ich strahle das ganze Jahr und das ganze Jahr kümmern sich die Menschen liebevoll um mich. Nur dann, ja dann wenn dieser hässliche Baumding hier steht, dann bin ich absolut...

Kira unterbricht Botanikus.

Kira: ...Out!

Alle Puppen lachen.

Botanikus: Tzz ich hasse Weihnachten und schlimmer noch. Ich hasse diese furchtbare Musik.

Eine Trompete ertönt.

Theaterkids 2 - Fünf mitreisende Weihnachtsstücke für das Kinder- und Jugendtheater
ISBN 978-3-7347-4765-6

Trompete: Törö
Ich klinge und singe so wunderschön mild.
Die Kinder sie lachen und tanzen so wild.
Da lasse ich klingen so manch hellen Ton.
Und spiele mit Freude die Trauer davoooon.

Mia hält sich die Ohren zu.

Mia: Oh nee, höre auf mit dem Krach.

Trompete: Törö
Der Krach der ist von euch gegeben.
Ihr Zicken lasst die Fetzen fliegen.

Kira kichert.

Luzi gibt daraufhin Kira einen Klapps.

Ein Schatten taucht auf und zeigt mit erhobenem Zeigefinger ein „Nein, Nein!"

Mia: Oh seht, ein seltsamer Schatten!

Luzi: He? Was will er uns zeigen?

Kira: Nein? Ach so…. Was meinst du damit?

Spielt hinter der Schattenwand einen Streit.
Dann streichelt er seine Haare und schaut sich im Spiegel an.
Dann zeigt mit erhobenem Zeigefinger ein „Nein, Nein!"

Theaterkids 2 - Fünf Weihnachtsstücke für das Kinder- und Jugendtheater
ISBN 978-3-7347-4765-6

Mia: Oh du meinst...

Kira: Wir sollen aufhören zu streiten?

Botanikus: Na wenigstens einer der mich versteht!

Der Schatten tut hinter der Schattenwand so, als würde er einen Brief schreiben.

Luzi: Was macht er denn jetzt?

Mia: Er schreibt einen...

Kira beendet frech den Satz von Mia.

Kira: Brief.

Mia gibt Kira wieder einen Klapps.

Kira: Was? Ich bin eben schlauer.

Der Schatten verschwindet hinter der Schattenwand und ein Brief fällt vom Himmel.

Luzi: Hey, jetzt hört mal auf ihr beiden! Schaut er ist weg. Doch seht!

Die Trompete hebt den Brief auf und liest ihn vor.

Theaterkids 2 - Fünf mitreisende Weihnachtsstücke für das Kinder- und Jugendtheater
ISBN 978-3-7347-4765-6

Trompete: Die Schönheit meine lieben Kleinen
Unterm holden Weihnachtsbaum
Ist meist sichtbar nur für einen
Weil er kennt deinen eigenen Traum
Doch wollt ihr wissen, ihr lieben Kleinen
Was der größte Schatz hier ist
Los, dann löset hier die Reime
Die hier stehen auf meiner List.

Luzi reist der Trompete den Zettel aus der Hand und liest.

Luzi: Zeig mal her. ...Was liegt unter dem Weihnachtsbaum, ist groß und wunderschön anzuschauen und glänzt mit den Augen?

Trompete: Törö, Ich denke ich denke, es sind die Geschenke.

Der Schatten taucht hinter der Schattenwand wieder auf und winkt mit erhobenem Zeigefinger ein „Nein! Nein!"

Luzi: Hehe falsch.

Luzi schmeißt den Zettel weg.

Kira: Ganz klar. Das bin ich.

Mia: Ich dachte das haben wir schon geklärt? Schlau und häääääässlich....

Theaterkids 2 - Fünf Weihnachtsstücke für das Kinder- und Jugendtheater
ISBN 978-3-7347-4765-6

Kira gibt Mia einen Rüffel.

Botanikus: Mensch es Kinder. Kann ich endlich meine Ruhe haben?

Mrs. Nelly kommt auf die Bühne. Sie sucht ihren Zeigestab.

Mrs. Nelly: Hach, oje, wo ist er nur.

Mrs. Nelly findet ihn und geht zu ihrer Puppenschule.

Mrs. Nelly: Ha, wunderbar, nun kann es ja losgehen.

Mrs. Nelly schreibt ein R an die Tafel und spricht dann mit ihren Kuscheltierschülern.

Mrs. Nelly: Das meine Lieben ist ein R. R wie...

Sie sieht plötzlich den Zettel und hebt ihn auf.

Mrs. Nelly: R wie Rätsel. Lese ich hier etwas von einem Rätsel meine Lieben? Wer hat hier denn das Rätsel geschrieben?

Der Schatten zeigt auf sich.

Theaterkids 2 - Fünf mitreisende Weihnachtsstücke für das Kinder- und Jugendtheater
ISBN 978-3-7347-4765-6

Kira: Na der Schatten.

Mrs. Nelly dreht sich überrascht um.

Mrs. Nelly: Oh nanu, wer seit denn ihr?

Alle rufen in Reihenfolge ihre Namen. Luzi, Mia, Kira, Törö, Botanikus.

Mrs. Nelly: So, so. Lasst mich mal überlegen. In meiner Puppenschule habe ich schon oft knifflige Rätsel gelöst. Dieses hier ist bestimmt nicht so schwer… hmmm… hmmm… Vielleicht sollten wir auf Reise gehen?

Kira: Wieso denn Reise?

Luzi spricht zu Mia.

Luzi: Ich glaube sie hat eine Meise.

Mrs. Nelly: Philosophen sagen: Ist ein Rätsel viel zu schwer, Mach ne Tour ans offene Meer.

Trompete: Törö Reime, reime… sind wie die meine.

Mia: Wo sollen wir hier ein Meer finden.

Mr. Nelly: Du Dummerchen. Das ist ein Synonym für eine Reise.

Theaterkids 2 - Fünf Weihnachtsstücke für das Kinder- und Jugendtheater
ISBN 978-3-7347-4765-6

Der Schatten zeigt den Daumen hoch.

Luzi: Na gut. Wo gehen wir hin?

Trompete stellt sich voran.

Trompete: Auf Schritt und Tritt, so kommt doch mit...

Die Trompete spielt ein Lied und alle laufen in Reihe eine Runde um den Weihnachtsbaum.

Ein Drache klettert aus einem Geschenk und setzt sich unter den Weihnachtsbaum. Er stöhnt.

Rommel: Ooooohhhh oooohhhhh menno.

Trompete: Oh was für ein süßer Wicht, doch hat er ein getrübtes Gesicht.

Luzi: Was ist mit dir?

Rommel: Ich hab mir den Schwanz gebrochen und nun wird mich niemand mehr mögen.

Mrs. Nelly: Oh so ein Quatsch. Du bist doch so süß. Wir müssen nur deinen Schwanz richten. Und das machen wir ...

Mrs. Nelly holt ein flaches Geschenk unter dem Weihnachtsbaum hervor und bindet es um den Schwanz.

Theaterkids 2 - Fünf mitreisende Weihnachtsstücke für das Kinder- und Jugendtheater
ISBN 978-3-7347-4765-6

Mrs. Nelly: ... Hiermit. Schau. Moment... Hmm... So nun ist es fertig. Jetzt bist du ein noch knuffigeres Geschenk.

Rommel: Danke schön.

Luzi: Also ich würde eh nichts auspacken, das so beharrt ist!

Mia: Ja, da hast du Recht. Luzi. Glatte reine Haut ist schon was Schönes.

Kira: Och, ich finde ihn ganz süß.

Rommel: Was seid ihr denn für Dinge?

Die Puppen schauen sich entrüstet an.

Alle Puppen: Wir sind hübsche Puppen!

Rommel: Sowas wünschen sich heute noch die Kinder?

Mia: Ja aber natürlich! Man kann unsere schönen Haare bürsten...

Luzi: ...und neue Kleider anziehen...

Kira: ...und man kann uns setzen und stellen und ...

Rommel: Hmm... Na gut. Das ist wirklich was für Mädchen. Mich, ja mich finden die Jungs ganz coooooool. Wenn ich dann aus dem Geschenk gesprungen komme waaaaa und

Theaterkids 2 - Fünf Weihnachtsstücke für das Kinder- und Jugendtheater
ISBN 978-3-7347-4765-6

mit Feuer speie waaaaa, dann staunen die Kinderaugen.

Botanikus: Oh man. Staunen? Das nennen sie staunen? Sie hätten mal sehen sollen als ich im Sommer meine Blüten erblühen lies. Erst habe ich die Menschen ja warten lassen. Ja solange warten lassen, dass man mich schon wegschmeißen wollte, doch dann, ganz sacht und leicht, habe ich meine Blüten aufgehen lassen und da haben die Menschen vielleicht gestaunt. Pff...

Rommel: Was hat der denn für ein Problem?

Kira: Topfpflanzen sind Weihnachten immer etwas wehleidig.

Botanikus: humpf

Der Schatten hinter der Schattenwand zeigt auf seine Uhr.

Mrs. Nelly: Oh der Schatten hat Recht. Wir vertrödeln unsere Zeit. Wir haben doch ein Rätsel zu lösen.

Rommel: Oh was für ein Rätsel?

Mrs. Nelly: Dieses hier.

Mrs. Nelly zeigt Rommel den Zettel und er liest ihn sich durch.

Theaterkids 2 - Fünf mitreisende Weihnachtsstücke für das Kinder- und Jugendtheater
ISBN 978-3-7347-4765-6

Rommel: Was liegt unter dem Weihnachtsbaum, ist groß und wunderschön anzuschauen und glänzt mit den Augen? Hmm... Na ganz klar, dass bin ich?

Der Schatten winkt mit erhobenem Zeigefinger ein „Nein! Nein!"

Kira: Tja, das haben wir auch schon gedacht. Aber offensichtlich gibt es noch etwas viel, viel Schöneres unter solch einem Baum.

Rommel: Oh das ist aber spannend. Was ist denn das?

Mrs. Nelly: Lasst uns weiter gehen.

Trompete: Auf Schritt und Tritt, so kommt doch mit...

Die Trompete geht vor und spielt ein Lied. Alle laufen in Reihe eine Runde um den Weihnachtsbaum.

Die Spielzeuge bleiben stehen, denn es erklingt plötzlich ein Säbelklirren.

Zwei Ninja springen aus ihren Geschenken und führen einen Kampf auf.

Irgendwann reicht es Mrs. Nelly und sie springt dazwischen.

Mrs. Nelly: Ja was soll denn das? Das ist ja furchtbar gefährlich.

Theaterkids 2 - Fünf Weihnachtsstücke für das Kinder- und Jugendtheater
ISBN 978-3-7347-4765-6

Rommel: Oh nicht doch, können sie weiter machen, das ist cool!

Luzi: Wer steht denn auf sowas?

Rommel: Na Jungs!!

Ki: Hey, ich war gerade am Gewinnen!

No: Du? Noch ein Doppel-Fight und der Sieg wäre auf meiner Seite!

Ki: Haha, das ich nicht lache.

Botanikus: Oh nein, noch ein paar Wahnsinnige!

Mrs. Nelly: Hallo. Wer seid ihr denn?

Ki: Ki!

No: No!

Kira schmeißt sich weg vor Lachen.

Kira: Kino? Haha.

Ki schaut Kira böse an.

Ki: Ich bin Ki und er ist No!

No: Wir sind die besten und gefährlichsten Kämpfer im fernen Osten.

Theaterkids 2 - Fünf mitreisende Weihnachtsstücke für das Kinder- und Jugendtheater
ISBN 978-3-7347-4765-6

Rommel: Uuuuh vielleicht sind ja Ki und No des Rätsels Lösung?

Der Schatten winkt mit erhobenem Zeigefinger ein „Nein! Nein!"

Luzi: Hehe… also doch nicht die Besten.

Ki: Immer noch besser.

Mia: Als wer?

Trompete: Törö… Tick und Tack und Tick und Tack da werden alle Kinder wach. Streitet hin und streitet her, wer geht denn nun mit zum Meer?

Mrs. Nelly: Törö hat Recht. Wir wollen doch ein Rätsel lösen. Also müssen wir weiter suchen.

Ki: Was für ein Rätsel?

Kira: Ein Schweres.

No: Für euch vielleicht… aber für uns nicht!

Rommel: Wir wollen wissen, was das tollste Ding unter dem Weihnachtsbaum ist. Hier lest.

Rommel reicht Ki den Zettel. Ki liest ihn sich durch.

Ki: Was liegt unter dem Weihnachtsbaum, ist groß und wunderschön anzuschauen und glänzt mit den Augen?

Theaterkids 2 - Fünf Weihnachtsstücke für das Kinder- und Jugendtheater
ISBN 978-3-7347-4765-6

No: Oh das ist doch einfach. Mein Ninja Schwert!

Der Schatten winkt mit erhobenem Zeigefinger ein „Nein! Nein!"

Ki: Vielleicht mein Kampfstern?

Der Schatten lacht und winkt mit erhobenem Zeigefinger ein „Nein! Nein!"

Rommel: Seht ihr, das ist schwer.

Mrs. Nelly: Da müssen wir wohl noch weiter gehen.

Rommel: Kommt doch mit.

Ki und No: Hmm na gut. Haija!

Trompete: Törö... Auf Schritt und Tritt, so kommt doch mit...

Die Trompete geht vor und spielt ein Lied. Alle laufen in Reihe eine Runde um den Weihnachtsbaum.

Rudi schaut vorsichtig aus einem Geschenk, in welchem er sich versteckt hatte.

Rudi: Huhu, Haha, ist es schon soweit? Soll ich raus kommen? Sind das die Kinder? Huhu. Wer ist denn da. Achtung ich komme jetzt raus. Ich bins. Kinder? Kiiinder?

Theaterkids 2 - Fünf mitreisende Weihnachtsstücke für das Kinder- und Jugendtheater
ISBN 978-3-7347-4765-6

Rommel: Hey, wer bist denn du?

Rudi: Ich bin der Rudi und du… oh ihr… Seht ihr ja lustig aus.

Steigt aus dem Geschenk und läuft um Luzi herum.

Rudi: Was für schönes langes Haar. Das hätte ich auch gerne, wo kann man das kaufen? Oh…

Rudi entdeckt Mia und schaut sie an.

Rudi: Heisa was für ein Kleid. Für eine Prinzessin geschneidert. Oh ich kann mich im Glanze sehen. Schau mal. Hehe… und du…

Da sieht Rudi die Puppe Kira.

Rudi: Hmm… du hast ja wunderschöne Augen. Oh sooooo schöööön…

Kira freut sich ganz verlegen.

Kira: Oh hihi, naja… also…

Rudi erschrickt und betrachtet die beiden Ninjas.

Theaterkids 2 - Fünf Weihnachtsstücke für das Kinder- und Jugendtheater
ISBN 978-3-7347-4765-6

Rudi: Oh Hilfe, welch dunkle Gesellen.

Rudi wendet sich an Rommel.

Rudi: Beißen die?

Rommel: Nene... die sind ganz lieb.

Ki: Ich bin nicht lieb!

No: Ich auch nicht.

Ki und No: Wir sind böööööse!

Rudi: Hehe, na gut die sind ganz lustig. Das Lustigste was ich je gesehen habe.

Ki und No schauen sich kopfschüttelnd an.

Rudi: Die können sogar ihre Köpfe bewegen. Aber wartet mal. Ich bin auch gut... Ich liebe ja das singen... lalala... hört ihr.... Lalala.... Immer zu. Ich könnte es rauf und runter. Lalala ... Ich bin der beste Sänger unter dem Weihnachtsbaum... ganz bestimmt.

Rudi pfeift glücklich.

Botanikus: Oh nee, jetzt hört euch den an. Singen? Das klingt wie eine quietschende Tür. Hilfe!!!

Theaterkids 2 - Fünf mitreisende Weihnachtsstücke für das Kinder- und Jugendtheater
ISBN 978-3-7347-4765-6

Rudi pfeift immer noch.

Kira: Ja bitte Rudi, hör auf.

Mia: Mir tun die Ohren schon weh.

Rudi hört auf zu pfeifen und zuckt mit seinen Schultern.

Rudi: Was ist denn mit euch los? Ihr seid ja alle so mufflig.

Trompete: Törö... Du lieber Rudi, ich bin der schönste Ton, denn bei meinen Klängen läuft niemand davoooon.

Der Schatten hinter der Schattenwand schüttelt seinen Kopf und viele Schattenfragezeichen entstehen.

Rommel: Ooooh Leute seht doch, der Schatten. Wir müssen die Frage beantworten.

Rudi: Welche Frage?

Kira: Der Schatten hat uns eine Frage gestellt.

Rudi: Warum hat er das denn?

Rommel: Weil er weiß, was das Schönste, Beste und Tollste unter dem Weihnachtsbaum ist.

Ki: Und er will uns testen. Haija!!!

Theaterkids 2 - Fünf Weihnachtsstücke für das Kinder- und Jugendtheater
ISBN 978-3-7347-4765-6

Rudi: Oooh. Wie heißt denn die Frage? Ich kann gute Antworten geben. Gelbe und grüne... Laute und leise.

Kira wendet sich augenrollend an Mia und Luzi.

Kira: Oh das wird nix.

Mrs. Nelly: Was liegt unter dem Weihnachtsbaum, ist groß und wunderschön anzuschauen und glänzt mit den Augen?

Rudi: Hmm das ist kniffig.

Rommel: Ja, sehr kniffig.

Botanikus: Also ich kann auch nichts unter dem Weihnachtsbaum finden, dass mir gefällt.

Kira: Nö ich auch nicht.

Mrs. Nelly: Wir können noch einmal eine Reise machen.

No: Ich glaube das hilft nicht so viel. Vielleicht sollten wir mal kämpfen.

Rudi: Vielleicht, ja... hmm neee... ich habe eine andere Ideeeeeee. Fragen wir doch noch einmal den Schatten. Vielleicht kann er uns noch einen Hinweis geben. ...

Trompete: Törö wohl wahr, er ist der Star...

Alle: Genau.

Theaterkids 2 - Fünf mitreisende Weihnachtsstücke für das Kinder- und Jugendtheater
ISBN 978-3-7347-4765-6

Rudi geht hinüber zur Schattenwand und fragt den Schatten.

Rudi: Hast du nicht noch einen Tipp?

Der Schatten holt einen Schattenweihnachtsbaum.

Es klopft und der Schattenweihnachtsmann kommt mit einem großen Sack herein. Er packt die Geschenke aus. Dann geht er wieder.

Jetzt holt der Schatten die Schattenkinder und packen die Geschenke aus.
Da springt ein Schattendino heraus, ein Schattenpinguin, eine Schattentrompete, zwei Schattenninjas, drei Schattenpuppen und eine ganze Schulklasse.

Rudi: Hey da bin ja ich.

Mrs. Nelly: Psst.

Die Schattenkinder freuen sich, lachen und lachen.

Rommel: Hmm was soll das denn sein? Kinder?

Luzi: Ich glaube nicht, dass die Kinder das Beste sind, was unter dem Weihnachtsbaum liegt. Sie pupsen...

Mia: ...und rülpsen...

Kira: ...und machen immer alles schmutzig. Nene... da sind wir tausendmal besser.

Theaterkids 2 - Fünf Weihnachtsstücke für das Kinder- und Jugendtheater
ISBN 978-3-7347-4765-6

Rudi: Was liegt unter dem Weihnachtsbaum, ist groß und wunderschön anzuschauen und glänzt mit den Augen? Also wenn du mich fragst, können das schon die Kinder sein.

Luzi: Dich fragt ja keiner.

Rommel: Ich hätte ihn gefragt.

Ki und No beginnen wieder zu kämpfen und hören dann wieder auf.

Ki und No Wir denken er meint ...

Botanikus: Ach Mensch jetzt hört schon auf zu raten. Seht ihr nicht? Es ist doch ganz leicht. An einem bestimmten Tag im Jahr, was zufällig heute ist, bin ich es nicht.

Ki: Bockig?

Botanikus: Nein...

Rommel: Ein Miesepeter?

Botanikus: Nein! Ich sagte, ich bin es heute nicht!

Mrs. Nelly: Hmm... du bist ganz und gar nicht fröhlich?

Botanik: Ja, genau. Jetzt habt ihr es.

Der Schatten hinter der Schattenwand legt seine Figuren weg und freut sich.

Theaterkids 2 - Fünf mitreisende Weihnachtsstücke für das Kinder- und Jugendtheater
ISBN 978-3-7347-4765-6

Rommel: Haha, wie schön, da hat der Schatten aber Recht. Was für ein wunderbares Rätsel. Das Schönste, schaut nur, ist die Freude unter dem weihnachtlichen Baum.

Trompete: Törö
Die Freude die Freude für manche Leute
Ist an einem Tage wie heute
Das wundervollste auf der Welt.
Drum lasset uns singen und den Tag verbringen
Die Töne sollen klingen
Solange es hält.

Alle: Frohe Weihnachten

Ende

Theaterkids 2 - Fünf Weihnachtsstücke für das Kinder- und Jugendtheater
ISBN 978-3-7347-4765-6

Der kleine Stern

Eine himmlische Weihnachtsgeschichte

Ab 9 Darsteller

Personen:

- Ein kleiner Stern
- Stern 1
- Stern 2
- Stern 3
- Stern 4
- Stern 5o - gespielt von allen anderen Kindern
- Die Sonne
- Der Mond
- Das Wolkenschaf
- Der Wind

Wichtig ist, dass alle Kinder, welche die Sterne spielen, bereits auf der Bühne stehen. Das gilt auch für das Kind, welches den kleinen Stern spielt. Dazu kommt noch das Wolkenschaf, welches vorne am Bühnenrand zusammengerollt liegt.

Ebenso könnten der Mond und die Sonne hinter der Bühne die Schäfchen spielen, die über die Sterne hüpfen. Sie benutzen dazu die Wink-Elemente.

Wichtige Gegenstände:

- Kleine Wink-Elemente die Schafe darstellen
- Viele selbstgebastelte Sternschnuppen auf denen die Kinder Weisheiten geschrieben haben → Sie dienen als Geschenk für das Publikum und fallen am Ende von der Decke oder werden durch die Kinder ausgeteilt.

Theaterkids 2 - Fünf Weihnachtsstücke für das Kinder- und Jugendtheater
ISBN 978-3-7347-4765-6

Bühneneinrichtung:

Das Bühnenbild zeigt einen Nachthimmel. Dunkel und mit vielen Sternen darauf.

Theaterkids 2 - Fünf mitreisende Weihnachtsstücke für das Kinder- und Jugendtheater
ISBN 978-3-7347-4765-6

Der kleine Stern

Der kleine Stern leuchtet nicht oder nur ganz schwach und hässlich. Er steht am Rande der Sterne und läuft in die Mitte der Bühne.

Der kleine Stern schaut staunend hinauf zu den leuchtenden Sternen.

Alle leuchtenden Sterne:

Schau die Schönheit die wir tragen,
ein magischer Glanz entflammt von Licht.
Wir sind was in diesen Tagen
jeder hofft, geträumtes Glück.

Wir Sterne leben für die Pracht
ein himmlisches Zelt in fernem Schatten
in jedem Licht das Ewige wacht
und herrscht so über seinen Platz.

Der kleine Stern seufzt.

Kleiner Stern: Ach, ich wünschte ich hätte auch so ein starkes Licht. Dann würde ich bestimmt auch einen Platz am schwarzen Himmel bekommen und die Nächte verzaubern.

Der kleine Stern geht herum und versucht sich in die Reihe der anderen Sterne zu stellen. Doch er kommt nicht hinein und wenn er sich davor stellt, wird er weggeschuppst.

Theaterkids 2 - Fünf Weihnachtsstücke für das Kinder- und Jugendtheater
ISBN 978-3-7347-4765-6

Stern 1 Ey! Du stehst mir im Licht.

Stern 2 Hier ist kein Platz für dich.

Stern 3 Und du funkelst nicht!

Der kleine Stern weicht zurück und sieht die anderen traurig an.

Kleiner Stern: Gibt es denn wirklich keinen Platz für mich am Himmel?

Alle leuchtenden Sterne lachen.

Stern 4: Ich habe einen Platz für dich.

Der kleine Stern freut sich.

Kleiner Stern: Wirklich? Wo denn?

Stern 4 winkt ihn herbei. Er schiebt den kleinen Stern hinter alle anderen Sterne, so dass man den kleinen Stern nicht mehr sieht.

Stern 4: Hier!

Der kleine Stern fängt an zu hüpfen.

Die Sterne fangen an zu Kichern.

Theaterkids 2 - Fünf mitreisende Weihnachtsstücke für das Kinder- und Jugendtheater
ISBN 978-3-7347-4765-6

Kleiner Stern: Aber hier sieht mich doch keiner.

Da lachen ihn alle Sterne lauthals aus.

Der kleine Stern weicht zurück und setzt sich auf das Wolkenschaf. Es beginnt zu weinen.

Wolkenschaf: Mää. Du machst mich ja ganz nass.

Der kleine Stern springt erschrocken auf.

Kleiner Stern: Tut mir Leid liebes Wolkenschaf.

Wolkenschaf: Nicht so schlimm. Ich habe noch nie einen traurigen Stern gesehen. Was ist denn los?

Kleiner Stern: Die anderen mögen mich nicht ich bin zu hässlich. Mein Licht ist zu schwach und ich habe keinen Platz am Himmel.

Wolkenschaf: Hässlich bist du nicht. Du bist etwas ganz besonderes. Ich wünschte ich wäre es wie du. Schau, wir sind so viele andere und immer gleich anzusehen. Wir springen über Zäune und zählen lautes Määää.

Kleine Schaf-Wink-Elemente werden über den Sternen hinweg gezogen, als würden sie über sie springen. Dabei rufen sie laut Mää.

Theaterkids 2 - Fünf Weihnachtsstücke für das Kinder- und Jugendtheater
ISBN 978-3-7347-4765-6

Kleiner Stern: Aber du hast das Glück das jeder wenigstens einmal gezählt wird. Den einzigen Platz den ich haben könnte, wäre der ganz hinten und dort sieht man mich nicht.

Wolkenschaf: Ich kenne jemand der könnte dir helfen. Er treibt uns Wolkenschafe an. Komm, es ist der Wind, der viele Ideen kennt.

Die Schafswolke nimmt den kleinen Stern an der Hand und bringt ihn zum Wind welcher pustend auf der Bühne auftaucht.

Das Wolkenschaf wirbelt kurz herum.

Wolkenschaf: Mein Freund ist traurig.

Der Wind pustet und pustet.

Wind: Traurig werden gleich die Leute sein, wenn die Wolken halten, also lasst mich pusten.

Kleiner Stern: Bitte doch lieber Wind, kannst du mir helfen? Mein Licht ist schwach. Die anderen mögen mich nicht. Ich habe keinen Platz am Himmel. Ich bin alleine.

Wind: Oh ja das Allein kenn ich sehr gut. Ich bin auch nur einer und fühle oft die Einsamkeit. Jeden Tag puste ich und puste, damit die Alpträume verwehen. Ich hätte gerne ab und an mal Hilfe. Aber warte, dir kann ich

Theaterkids 2 - Fünf mitreisende Weihnachtsstücke für das Kinder- und Jugendtheater
ISBN 978-3-7347-4765-6

helfen. Ich hab da jemanden kennengelernt, als ich einmal die Schafswolken vertrieb.

Kleiner Stern: Wer?

Wind pustet das Wolkenschaf beiseite. Zum Vorschein kommt der Mond, der langsam auf die Bühne läuft.

Wind: Es ist der alte Mond, der Weise.

Kleiner Stern: Lieber Mond kannst du mir helfen?

Der Mond lächelt müde und gähnt.

Mond: In meinem Licht stecken viele Tränen und viele verwandelte ich in Hoffnung.

Kleiner Stern: Vielleicht kannst du mir auch Hoffnung geben.

Der Mond lacht leise und alt.

Mond: Hohoho. Die Hoffnung trägst du wie ein Licht kleiner Stern, von einem Ort zum nächsten. Du fragst, du suchst und wer die Suche niemals aufgibt, wird am Ende die Antwort finden.

Der kleine Stern schaut hinauf zu den anderen Sternen und dann auf sich.

Theaterkids 2 - Fünf Weihnachtsstücke für das Kinder- und Jugendtheater
ISBN 978-3-7347-4765-6

Kleiner Stern: Schau ich leuchte nicht. Meine Hoffnung ist vielleicht nicht stark genug?

Mond: Nicht jedes Licht wirft seine Farben sichtbar hinaus. Manches Licht brennt im Inneren und erweckt so andere, die es sichtbar werden lassen könnten.

Kleiner Stern: Wirklich? Du meinst es gibt jemanden der mir ein kräftiges Licht geben könnte?

Mond: Ein Licht und den Himmel. Ja den gibt es.

Kleiner Stern: Wow jemandem denen Licht und Himmel gehören? Wer ist es?

Der alte Mond lacht heißer und tritt beiseite.

Mond: Meine unvergängliche Liebe. Die Sonne.

Die Sonne kommt auf die Bühne.

Kleiner Stern: Liebe Sonne kannst du mir helfen?

Sonne: Wie kann ich dir helfen?

Kleiner Stern: Ich möchte wie die anderen sein.

Sonne: So wie du bist, bist du gut kleiner Stern. Du musst nicht wie die anderen sein.

kleiner Stern: Aber die anderen lachen über mich. Ich habe keinen Platz am Himmel.

Theaterkids 2 - Fünf mitreisende Weihnachtsstücke für das Kinder- und Jugendtheater
ISBN 978-3-7347-4765-6

Die Sonne schaut zu den anderen Sternen, die kichern und den kleinen Stern auslachen. Sie überlegt.

Sonne: Hmm

Das Wolkenschaf kommt angesprungen.

Wolkenschaf: Ein Sprung über den eigenen Schatten.

Der Wind bläst das Wolkenschaf auf die andere Seite zum Mond. Es wirbelt herum.

Wind: Die Kraft zu wachsen.

Der Mond gähnt müde und fängt das Wolkenschaf auf.

Mond: Und mit der Liebe die Antwort finden.

Sonne: Hmm. Wenn ich dir ein Licht gebe, das heller als die anderen scheint. Und einen Platz am Himmel, der am besten zu sehen ist. Was wirst du dann machen?

Kleiner Stern: Wenn ich ein Licht hätte das heller als die anderen leuchtet und einen Platz der gut zu sehen ist, dann hätte sich mein Wunsch erfüllt.

Das Licht des kleinen Sterns beginnt immer heller zu werden.

Theaterkids 2 - Fünf Weihnachtsstücke für das Kinder- und Jugendtheater
ISBN 978-3-7347-4765-6

Kleiner Stern: Ich wäre dankbar und überglücklich. Ich würde meine Liebe in Kraft verwandeln. Und meine Liebe würde dann denen helfen, deren Licht nicht zusehen ist.

Das Licht des kleinen Sterns wird immer heller und heller.

Kleiner Stern: Dann würde ich ihre Hoffnung zum Strahlen bringen. Und so vergessen sie nicht, das ein Sprung über den dunklen Schatten sie der Erfüllung ein Stück näher bringt.

Nun ist das Licht des Sterns viel heller, als das von all den anderen Sternen.

Die Sonne lächelt und hebt ihre Arme.

Sonne: Nun, dann schau mal an dir herab.

Der kleine Stern schaut an sich hinab und strahlt vor Freude.

Kleiner Stern: Mein Licht! Ich leuchte! Ich leuchte liebe Sonne! Wie?

Sonne: Du selbst hast dir das Licht gegeben. Du selbst hast das Licht mit Hoffnung und dem festen Glauben sichtbar gemacht. Nun will ich dem Norden weichen, damit dein Licht seine Aufgabe erfüllen kann.

Theaterkids 2 - Fünf mitreisende Weihnachtsstücke für das Kinder- und Jugendtheater
ISBN 978-3-7347-4765-6

Der kleine Stern geht zu seinem Platz bei den Sternen und stellt sich dazu.

Alle Sterne staunen.

Kleiner Stern: Danke liebe Sonne. Ich halte mein Versprechen und möchte diesen Abend mit dem Fall tausend kleiner Sternenschnuppen beginnen. Die sollen in die Hände aller fallen. Ihr Licht soll ihre Herzen berühren und das innere Licht zum Strahlen bringen, damit sie ihre Träume mit Hoffnung beginnen.

Über dem Publikum fallen nun die vielen selbstgebastelten Sternschnuppen herab.

Ende

Theaterkids 2 - Fünf Weihnachtsstücke für das Kinder- und Jugendtheater
ISBN 978-3-7347-4765-6

Weitere Theatergeschichten von Sina Pillasch

Theaterkids - Vier Stücke für das Kinder- und Jugendtheater

ISBN 978-3-7347-4720-5

Lightning Source UK Ltd.
Milton Keynes UK
UKHW05f1830121018
330401UK00009B/787/P